CORONA DE LUZ

John W. Kronik
Advisory Editor in Spanish Language and Literature

Rodolfo Usigli

CORONA DE LUZ

Pieza antihistórica en tres actos

Edited by

REX EDWARD BALLINGER

Southwest Missouri State College

New York

APPLETON-CENTURY-CROFTS

Division of Meredith Publishing Company

Copy 1

657-1

Library of Congress Card Number: 67-21692

PRINTED IN THE UNITED STATES OF AMERICA

E 89140

Preface

This edition of *Corona de luz* by Rodolfo Usigli (1905–) offers to English-speaking students of Spanish language and literature a play by the most distinguished playwright of Mexico. The late George Bernard Shaw, after reading the manuscript of the English version of another anti-historical work of Usigli, *Corona de sombra*, commented: "If you ever need an Irish certificate of vocation as a dramatic poet I will sign it," and he ended his letter with the terse comment, "Mexico can starve you; but it cannot deny your genius." Usigli discussed with the Irish dramatist the theme of *Corona de luz* when he visited him in 1945, and Shaw wrote on April 24 of the same year, "I look forward with pleasure to reading the Virgin play."

Corona de luz, completed by Usigli in Oslo in 1963, was published by Fondo de Cultura Económica in Mexico City in 1965. The play received an award in the Latin-American Drama Contest in Chile in 1965 and was also read in both the English and French translations at the International Theatre Contest in Paris during the summer of 1966.

The play is suitable in subject and vocabulary for students in the first semester of second-year Spanish. The vocabulary is practical and contains many easily recognizable cognates and a minimum number of idiomatic expressions.

The notes explain all allusions to persons and terms not covered in the vocabulary. Consultation with the author has clarified some expressions that otherwise would not be understood.

The exercises are designed to stimulate discussion of the action, ideas, and structure of the play itself, as well as to increase the student's fluency by review of grammatical points, cognates, word families, and idioms. To facilitate their handling, the exercises are organized into twelve sections, corresponding to divisions of the text. They are not intended, however, to supplant the invaluable explanation of the individual teacher. It is hoped that these exercises will help to make foreign language patterns unconscious habits, to encourage linguistic and literary analysis, and to facilitate oral and written speech.

The vocabulary includes the words of *La última palabra*, the text, notes, and exercises, and is intended to be complete except for the usual omissions indicated in the explanation at the head of the section.

In the edition of *Corona de luz* published in 1965, Usigli included two prologues, ninety-four pages in length, in which he discussed the anti-historical background of the play, his theories regarding the interpretation of history within drama, and the many dilemmas he encountered in reconstructing the legend of Guadalupe. It is believed that these lengthy prologues, regardless of their merit, would be of insufficient interest to the student to be included in this text. However, a short section entitled *La última palabra* from the second prologue is included here with the hope that it will interest both the student and the teacher, particularly after they have read the play.

The photograph of the Virgin reproduced in this text should interest the reader: it is the only smiling image known of the Virgin. The small statue is located in the courtyard of a convent near the Basilica of Guadalupe. A friend of Mr. Usigli called it to his attention in 1964.

I should like to extend my sincere thanks to Rodolfo Usigli, who has been serving as Mexico's ambassador in Oslo, Norway, not only for permission to reproduce the play in this edition, but also for his generous assistance in the clarification of several matters of difficulty. I am also grateful to Dr. John W. Kronik, Cornell University, for his invaluable criticisms and suggestions in the preparation of the manuscript.

R.E.B.

Contents

La última palabra

Esta última palabra, sin embargo, ni del historiador ni del poeta, sino del público, lo que quiere decir del pueblo, porque todas las clases sociales de México son guadalupanas por esencia, por creencia, por sentimiento o, simplemente, por espíritu revolucionario. Cabe, sin embargo, preguntarse si el público mismo (hablo del de México) no se encontrará, como el Emperador, como el Obispo o como el autor, ante un dilema. Parece que el único elemento que no tendrá que enfrentarse con uno es la historia — del teatro.

¿Cuál puede ser el dilema del público? Del modo que yo veo las cosas, no puede haberlo en lo que se refiere a una elección entre la comedia y la historia. Solamente los especialistas en materia cliometodológica, cortarán el nudo gordiano y optarán por su especialidad, que para ellos es la más seria y bien fundada, teniéndoles sin cuidado el teatro y lo que pudiera hacer. El público puede aceptar o no la comedia — nada de teatro se sabe mientras no se alce el telón sobre ese mundo singular —, pero es dudoso que sus reacciones obedezcan a motivos historicistas. Si la acepta — o la parte de él que la acepte — lo hará porque, al comulgar con ella, verá la historia, él también, al través de la antihistoria. Pero su aceptación o su rechazo obedecerán sólo a imperativos de su fe.

Así, viene a resultar que su dilema sería el que, en realidad, le plantea el historiador: optar entre el Año Caña Trece tenochca, o sea 1531, y el Año Caña Trece tlaltelolca o tecpaneca, o sea 1555. Mi sentimiento es que se quedará con el primero — quizá por explicable inercia, aunque no es improbable que la enseñanza sistemática de la historia apegada a los resultados de las más recientes investigaciones, vaya penetrando gradualmente en las generaciones nuevas hasta llegar a convencerlas de reconocer como realidad histórica el 1555. Este proceso puede tomar menor o mayor tiempo que el que requirió en el siglo XVI el cristianismo para penetrar y asentarse en la imaginación y en el espíritu de los descendientes del paganismo. Es un proceso semejante a una trasminación, por lo cual sería azaroso fijarle un término ya que depende por igual de la calidad del material penetrante y de la calidad del material penetrado.

Entretanto, ¿cuál será la postura de la administración eclesiástica? Los sacerdotes eruditos en historia, que muchos hay, ¿se dividirán también y tomarán partido por una u otra fecha? Si las investigaciones de que he venido tratando se limitan al año sin afectar el día del mes y en los dos casos se trata del 12 de diciembre (como ignorante en la materia, no puedo eludir la pregunta: si las cifras que condicionan los períodos anuales difieren en los calendarios tenochca y tlaltelolca ¿hay razón para que no difieran las que se refieren a los días del mes y de la semana?), la solución parece menos problemática: lo más grave que puede ocurrir es que el próximo centenario sea celebrado en el año 2055, a menos que algún salomónico, hábilmente conciliador jerarca, disponga, para dar gusto a todos "y a su padre," hacer dos celebraciones — en 2031 y en 2055. Todo puede ser.

En este sentido, en todo caso, también seguirá el pueblo su propia, infalible visión y la última palabra será suya, como siempre, según nos permite comprobarlo la lectura de la historia.

Pero, hablando con entera objetividad, considero que en esta ocasión particular los riesgos son todos de la historia y no del teatro. Destruir una tradición en el pueblo es despoblarle el alma — no importa que se trate de crear otra tradición. Y cuando una cosa así ocurre, no se sabe ya lo que irá a ser de ese pueblo, ni lo que ese pueblo irá a hacer.

Oslo, 2 de octubre de 1964.

The Legend of Guadalupe

On December 9, 1531, Juan Diego, an Indian convert, was on his way to mass at the church in Tlaltelolco near what is now Mexico City. As he passed by the hill of Tepeyac, he suddenly heard celestial music and saw a bright light at the top of the hill. A feminine voice, in his native language, asked him to ascend. After he had done so, she told him that she was the Virgin Mary and that he should go to the Bishop's Palace in the nearby capital to tell the Bishop of her appearance.

Bishop Zumárraga was reluctant to believe the Indian's story and requested that the Virgin send him some kind of sign. On December 12, when Juan Diego was going to Tlatelolco in search of a priest for his dying uncle, Juan Bernardino, the Virgin again appeared and promised the Indian that his uncle would be cured. When he asked her for the sign requested by the Bishop, she told him to climb the hill and cut the roses he would find at the summit. After Juan Diego brought her the flowers, she arranged them in his *tilma*, or mantle, and ordered him to take them to the Bishop.

When the Indian opened the white mantle in the presence of the Bishop, the roses fell to the floor, revealing upon the mantle the image of the Virgin. Meanwhile, Juan Bernardino related to the Bishop the miraculous cure which the Virgin had performed, and when he heard him say *Santa María Coatlaxopeuh*, it sounded like *Santa María de Guadalupe*. Since there was a famous sanctuary by that name in Spain, he decided that she had chosen the same name for the Mexican shrine.

On December 26, 1531, the image of the Virgin was moved from the Bishop's Palace in Mexico City to a small chapel at the foot of the hill of Tepeyac, where it remained until 1622. It was then housed in various chapels at the shrine until the present Basilica, one of the most beautiful cathedrals in the western hemisphere, was completed in 1709.

The mantle on which the portrait of the Virgin is imprinted is of handwoven fibres of the *maguey* cactus. It is six and a half feet long and forty-two inches wide. The mantle is now encased in a frame of gold, silver, and bronze and hangs above the high altar of the Basilica.

On October 12, 1895, the Virgin of Guadalupe was crowned by decree of Pope Leo XIII, and she was proclaimed the Empress of America on October 12, 1945, by Pope Pius XII. She has a special Mass and Office in the Roman Breviary for December 12 every year, and the Confraternity of Our Lady of Guadalupe is the oldest in America, dating from 1578.

Twenty-two different languages were spoken in Mexico in 1531. However, since the idolatrous religion of all the tribes was virtually the same, the Indians were able to read and understand all the symbolism in the image. It is believed that more than eight million Indians were converted to Christianity in the short period of seven years, which fulfilled the prophecy of the Virgin that her image would crush the religion of the serpent.

Piezas de Rodolfo Usigli

El apóstol Comedia elemental en tres actos, 1930. Published in *Resumen*, México, D.F., January-February, 1931. Published in *Teatro completo*, Vol. I, by Fondo de Cultura Económica, México, D.F., 1963.

Falso drama Comedia en un acto, 1932. Published in *Teatro completo*, Vol. I, by Fondo de Cultura Económica, México, D.F., 1963.

Quatre chemins Pieza en cuatro escenas, en francés, 1932. Published in *Teatro completo*, Vol. I, by Fondo de Cultura Económica, México, D.F., 1963.

Tres comedias impolíticas:

Noche de estío Comedia en tres actos, 1933. Published in *Teatro completo*, Vol. I, by Fondo de Cultura Económica, México, D.F., 1963. First performed in the Teatro Ideal, Mexico City, July 6, 1950.

El presidente y el ideal Comedia sin unidades con un prólogo, tres actos divididos en diez y seis cuadros y un breve epílogo, 1934. Published in *Teatro completo*, Vol. I, by Fondo de Cultura Económica, México, D.F., 1963.

Estado de secreto Comedia en tres actos, 1935. Published in *Teatro completo*, Vol. I, by Fondo de Cultura Económica, México, D.F., 1963. First performed in the Teatro Degollado, Guadalajara, México, 1936.

Alcestes Pieza en tres actos, 1936. (Mexican transposition of *Le Misanthrope*.) Published in *Teatro completo*, Vol. I, by Fondo de Cultura Económica, México, D.F., 1963.

Medio tono Comedia en tres actos, 1937. Published by Editorial Dialéctica, México, D.F., 1938. Published in *Teatro completo*, Vol. I, by Fondo de Cultura Económica, México, D.F., 1963. First performed in the Palacio de Bellas Artes, Mexico City, November 13, 1937. Filmed with Dolores del Río, 1957. Translated into English, under the title of The Great Middle Class, by Edna L. Furness and published in *Poet Lore*, 1966.

Aguas estancadas Pieza en tres actos, 1939. Published in *México en la cultura*, México, D.F., April-May, 1952. Published in *Teatro completo*, Vol. I, by Fondo de Cultura Económica, México, D.F., 1963. First performed in the Teatro Colón, Mexico City, January 18, 1952.

La mujer no hace milagros Comedia en tres actos, 1939. Published in *América*, México, D.F., 1949. Published in *Teatro completo*, Vol. I, by Fondo de Cultura Económica, México, D.F., 1963. First performed in the Teatro Ideal, Mexico City, 1939.

La crítica de "la mujer no hace milagros" Comedia en un acto, 1939. Published in *Letras de México*, México, D.F., February, 1940. Published in *Teatro completo*, Vol. I, by Fondo de Cultura Económica, México, D.F., 1963.

Corona de sombra Pieza antihistórica en tres actos, 1943. Published by Cuadernos Americanos, México, D.F., 1943. Second edition, 1947. Third edition, 1959. Published as college text by Appleton-Century-Crofts, New York, 1961, Rex E. Ballinger, editor. Published by George G. Harrap & Co. Ltd, London, 1965, Rex E. Ballinger, editor. First performed in the Teatro Arbeu, Mexico City, April 11, 1947. Revived at the Palacio de Bellas Artes, Mexico City, 1951. Broadcast in Spanish by BBC, London, September 15, 1945. Crown of Shadows: *An Antihistorical Play in Three Acts.* Translation of Corona de sombra by William F. Stirling, published by Allan Wingate, London, 1947. Performed in English in Trenton, New Jersey, 1949, and at Texas Christian University, Fort Worth, 1953. Broadcast by the Goodyear Television

Playhouse, New York City, February 17, 1952. LA COURONNE D'OMBRE: *Versión francesa* del autor de CORONA DE SOMBRA, revisada. Published by A l'Enseigne du Chat qui Pêche, Brussels, 1948. Performed in French and Flemish in Belgium. Broadcast in French by Radio-diffusion française.

EL GESTICULADOR Pieza para demagogos, en tres actos, 1937. Published in *El hijo pródigo*, México, D.F., 1943. Published in *Ediciones letras de México*, México, D.F., 1944. Published by Editorial Stylo, México, D.F., 1947. Published in *Teatro mexicano del siglo XX* by Antonio Magaña Esquivel, Fondo de Cultura Económica, México, D.F., 1956. Published in *Teatro mexicano contemporáneo* by Aguilar, Madrid, 1959. Published in *Teatro completo*, Vol. I, by Fondo de Cultura Económica, México, D.F., 1963. Published as college text by Appleton-Century-Crofts, New York, 1963, Rex E. Ballinger, editor. Published by George G. Harrap & Co. Ltd, London, 1965, Rex E. Ballinger, editor. Translated into English, French, German, Polish, Czech, Norwegian, Finnish, Russian, and Italian. Translation in Italian by Roberto Rebora, under the title of L'ILLUSIONISTA, published in *Sipario* in July, 1966, Milano. First performed in the Palacio de Bellas Artes, Mexico City, May 17, 1947. Produced under the title of THE GREAT GESTURE at the Hedgerow Theatre, Moylan, Pennsylvania, 1953. Produced in Los Juglares, Teatro Hispanoamericano, Madrid, December 12–14, 1957. Produced at the Teatro del Bosque and the Teatro Virginia Fábregas, Mexico City, 1961. Produced in Buenos Aires, 1961. Produced at the Municipal Theatre, Opava, Czechoslovakia, October 9, 1966. Read in French in the Théâtre des Nations, Paris. Televised under the title of ANOTHER CAESAR by Studio One, New York City, October 26, 1953. Filmed with Pedro Armendáriz, 1960.

OTRA PRIMAVERA Pieza en tres actos, 1938. Published by the Unión Nacional de Autores, México, D.F., 1947, in *Teatro mexicano contemporáneo*. Published by Editorial Helio-México, México, D.F., 1956. Published in *Teatro completo*, Vol. I, by Fondo de Cultura Económica, México, D.F., 1963. First performed in the Teatro Virginia Fábregas, Mexico City, 1945. Winner of second prize in English translations in the UNESCO drama contest, 1959. Translated under the title of Another Springtime by Wayne Wolfe, published by Samuel French, New York, 1961.

La familia cena en casa Comedia en tres actos, 1942. Published by the Unión Nacional de Autores, México, D.F., 1942, in *Teatro mexicano contemporáneo*. First performed in the Teatro Ideal, Mexico City, December 19, 1942.

Vacaciones Comedia en un acto, 1940. Published in *América*, México, D.F., 1948. First performed in the Teatro Rex, Mexico City, March 23, 1940.

La última puerta Farsa en dos escenas y un ballet-intermedio, 1934–35. Published in *Hoy*, México, D.F., 1948. Published in *Teatro completo*, Vol. I, by Fondo de Cultura Económica, México, D.F., 1963.

Sueño de día Radiodrama en un acto, 1939. Published in *América*, México, D.F., 1949. First performed in the Radiophonic Theatre of the Secretaría de Educación Pública, Mexico City, April 14, 1939.

Mientras amemos Pieza en tres actos, 1937–48. Published in *Panoramas*, México, D.F., 1956. Published in *Teatro completo*, Vol. I, by Fondo de Cultura Económica, México, D.F., 1963.

Dios, batidillo y la mujer Farsa americana en tres escenas, 1943. Unpublished.

Los fugitivos Pieza en tres actos, 1950. Published in *México en la cultura*, México, D.F., 1951. First performed in the Teatro Arbeu, Mexico City, July 22, 1950.

El niño y la niebla Pieza en tres actos, 1936. Published in *México en la cultura*, México, D.F., 1950. Published by Imprenta Nuevo Mundo, México, D.F., 1951. Published in *Teatro completo*, Vol. I, by Fondo de Cultura Económica, México, D.F., 1963. Published as college text by D. C. Heath,

Boston, 1964, Rex E. Ballinger, editor. First performed in the Teatro del Caracol, Mexico City, April 6, 1951. Translated into English by the author. Filmed with Dolores del Río 1953.

LA FUNCIÓN DE DESPEDIDA Comedia en tres actos, 1949. Published in *México en la cultura*, México, D.F., 1951. Published in *Colección teatro contemporáneo*, directed by Alvaro Arauz, México, D.F., 1952. First performed in the Teatro Ideal, Mexico City, April 10, 1953.

VACACIONES II Comedia en un acto, 1945–52. Published in *México en la cultura*, México, D.F., 1954.

JANO ES UNA MUCHACHA Pieza en tres actos, 1952. Published by Imprenta Nuevo Mundo, México, D.F., 1952. First performed in the Teatro Colón, Mexico City, June 20, 1952. Produced in Helsinki, Finland.

UN DÍA DE ÉSTOS . . . Fantasía impolítica en tres actos, 1953. Published by Editorial Stylo, México, D.F., 1957. First performed in the Teatro Esperanza Iris, Mexico City, January 8, 1954.

LA EXPOSICIÓN Divertimiento en tres actos, en verso. Published by Cuadernos Americanos, México, D.F., 1960.

LA DIADEMA Comedieta moral en un acto y tres escenas, 1960. Unpublished.

LAS MADRES Fresco dramático en tres actos, 1949–60. Unpublished.

CORONA DE FUEGO Pieza antihistórica en 2,410 versos, 1961. Unpublished. First performed in the Teatro Xola, Mexico City, September 15, 1961.

UN NAVÍO CARGADO DE . . . Comedieta transatlántica en un acto y seis escenas, 1961. Unpublished.

EL TESTAMENTO Y EL VIUDO Comedieta involuntaria en un acto, 1962. Unpublished.

Corona de luz Comedia antihistórica en tres actos, 1963. Published by Fondo de Cultura Económica, México, D.F., 1965. Translated into English and French. Received an award in the Latin-American Drama Contest in Chile, 1965. Read by members of the International Jury in 1966 at the Théâtre des Nations in Paris.

CORONA DE LUZ

de

Rodolfo Usigli

Dedicatoria

A George Bernard Shaw, que escribió en 1945: "I look forward with pleasure to reading the Virgin play."

Doy aquí las gracias a don José María González de Mendoza, invaluable amigo y minucioso pero asentado crítico, por las observaciones de orden histórico y antihistórico que me hizo; por la tarea que tan desinteresadamente se echó a cuestas en mi favor, y por el estímulo que me trajeron sus ejemplares cartas a Oslo, donde quedó terminada virtualmente esta comedia.

Rodolfo Usigli

Corona de luz

THE ARCHBISHOP: A miracle, my friend, is an event which creates faith. That is the purpose and nature of miracles. They may seem very wonderful to the people who witness them. That does not matter: if they confirm or create faith they are true miracles.

LA TRÉMOUILLE: Even when they are frauds, do you mean?

THE ARCHBISHOP: Frauds deceive. An event which creates faith does not deceive: therefore it is not a fraud, but a miracle.

— George Bernard Shaw. *Saint Joan*, Scene II.

THE SERPENT: A miracle is an impossible thing that is nevertheless possible. Something that never could happen and yet does happen.

— George Bernard Shaw. *Back to Methuselah*, Act I.

Tlamahuizolli es una voz nahoa que significa "hecho sorprendente" o "suceso maravilloso," por consecuencia, milagro.

Acto primero
PROLOGO POLITICO

Personas

EL PORTERO
EL MINISTRO (Francisco de los Cobos y Molina)[1]
EL PRIOR
EL CARDENAL[1]
CARLOS V[2]
LA REINA ISABEL[3]
EL EMISARIO
EL FRAILE

La acción es el año de 1529, en el vestíbulo del monasterio de San Jerónimo de Yuste, fundado como ermita y establecido como capilla en 1407 por bula otorgada por el Papa Benedicto XIII;[4] *privado de bendición por el Obispo de Palencia, y luego restituido a la posesión de sus bienes y reorganizado como núcleo jerónimo con apego a las reglas de San Agustín. Está situado en Cáceres, en la región de Extremadura, medianera en la ruta que Carlos V de Alemania y I de España sigue ese año para hacerse coronar en 1530, tras una lucha sin tregua ni ley, emperador de los romanos.* 5 10

Atardece, y al fondo de las arcadas puede percibirse una perfumada visión de naranjos, como la sombra verde de un boscaje, fuera del monasterio, y la luz, suave y densa a la vez, que los descubridores flamencos de la pintura al óleo pueden comunicar todavía al visitante de exposiciones y museos después de casi cinco siglos. El vestíbulo está desierto, y la profesional paz monástica cubre el ambiente como aceite. Aquí no pasa nada, ni nada se mueve. El aire mismo se desliza con suave servilidad, incapaz de agitar una hoja, de suscitar un deseo, de avivar una conciencia. De pronto se quiebra todo como un cristal finísimo y muy grueso — cristal de roca — sobre el que alguien dejara caer un enorme martillo. El aldabón resuena como una sucesión de cañonazos apenas espaciados. Uno — dos — tres — uno — dos — tres. Un fraile alto y motilón, con el hábito de la Orden jeronimiana, emerge del segundo término izquierda como una gran sombra en movimiento, y se dirige al enorme portón situado al centro del fondo. Su rosario suena, al ritmo de sus pasos, como la espada de un mercenario contra una bota de trabajado cuero. Es el portero del monasterio. Suenan tres nuevos golpes mientras el portero llega al portón y entreabre el ventanillo.

PORTERO: ¡Ave María Purísima! ¿Quién es?

LA VOZ DEL MINISTRO: Sin pecado concebida. Ya, ya. Abrid y os lo diré.

PORTERO: Tengo que saber antes quién sois.

LA VOZ DEL MINISTRO: Abrid, ¡en nombre del Rey!

PORTERO: Aquí no hay más rey que Dios Nuestro Señor. Implorad por El y decid qué buscáis.

LA VOZ DEL MINISTRO: ¡Voto a . . . ! Busco a Su Majestad el Emperador.

PORTERO: No lo conozco. Aquí . . .

Otro fraile alto, vestido con un hábito y ornado con un rosario cuya calidad, limpieza y orden delatan a un superior, aparece en segundo término izquierda. Es el prior. Suena otro aldabonazo.

PRIOR: Abrid, abrid, hermano, o de otra suerte nos estropearán el portón, que es de encino joven y no lo merece.

PORTERO: Es algún loco, sin duda, que busca a no sé qué emperador o cosa.

PRIOR: Acogedlo, hermano. El hombre tiene siempre que abrirse paso por el error. Ya le diremos, mirándole a los ojos, que fuera de Dios aquí no impera nadie. Vamos. 5

El portero abre la pesada puerta. Entra con airada premura el ministro, seguido por el emisario, que permanece arrinconado en la sombra. 10

PRIOR: ¿Y adónde queréis llegar, señor, con tanto ruido? Habéis turbado el silencio de esta casa.

MINISTRO (*Adelantándose mientras el portero cierra el portón*): Perdonad, fraile. Preciso ver al Emperador. Sé que está aquí.

PRIOR: ¿Y quién, si os place, es ese emperador de quien habláis? El único que conozco es el que está crucificado en la capilla de esta casa: el que nos muestra que hay que morir para imperar. 15

MINISTRO: Hablo de Su Majestad Carlos, que está . . .

PORTERO (*Irritado*): Esto no es posada de una noche para nadie.

PRIOR: Callad, hermano. (*Al ministro.*) Aquí no encontraréis sino una comunidad de monjes cuya única majestad es Jesús. Serenaos y decid . . . 20

MINISTRO: ¡Con veintidós de a caballo que . . . !

El aldabón vuelve a sonar, mesurada, rítmicamente, con una especie de serena autoridad. 25

PORTERO: ¿Otra vez? Esto parece ya herrería si no posada. (*Otro aldabonazo.*)

PRIOR: Pensad en la puerta de encino joven, hermano.

Otro aldabonazo se escucha aún. El portero abre. Entra el cardenal, como quien lo hace en su casa, seguido por el fraile, que también permanecerá en último término, en el rincón sombrío opuesto al que ocupa el emisario. 30

CARDENAL (*Airado*): Me desplace ver que un monasterio menor hace aguardar a la púrpura. ¿Dónde está el Rey?

PRIOR: No os conozco ni sé de qué habláis.

PORTERO: El único rey que conocemos aquí está muy bien sentado
5 en la capilla. Lo dijo ya el Padre Prior.

MINISTRO: Señor Cardenal, tratad de hacer entender a estos buenos monjes . . .

CARDENAL: ¡Ya me figuraba que os encontraría aquí! ¿Su Majestad . . . ?

10 MINISTRO: Sé tanto como vos. Vi cerca de este lugar la real carroza con el eje de una rueda roto. Pregunté a los nobles, que nada sabían, y a los cocheros, que me dijeron que el Rey daba un paseo — ¡a estas alturas! Caminé y no vi más casa que ésta en los alrededores. Pregunté, pero aquí contestan con acertijos,
15 como podéis juzgar.

CARDENAL: No hablo de eso. Salisteis de Salamanca después que yo, y sin embargo me adelantáis aquí.

MINISTRO: Es que no llevo sotana, Eminencia. Tengo el paso más franco.

20 CARDENAL: En todo caso, el Rey . . .

PRIOR: Perdonad, pero de oir muchas cosas que no entiendo llego a la conclusión de que buscáis a alguien. Dejadme deciros que aquí no encontraréis un alma fuera de los hermanos de la Orden, que . . . (*Se detiene. Una súbita sospecha despunta en él.*)
25 Hermano Portero . . .

PORTERO: Padre Prior . . .

PRIOR: ¿Habéis vuelto a permitir visitas a cambio de limosnas?

PORTERO: Perdón, Padre Prior. Pensé que las obras del huerto . . .

PRIOR: Pensáis demasiado para un religioso, hermano. ¿A quién
30 habéis dejado pasar esta vez? ¿Por quién habéis vuelto a olvidar las reglas de la Orden y los ordenamientos de este monasterio? Aquí no se abre la puerta más que al hambriento.

PORTERO: Perdón, pedí. Era un buen burgués con su esposa. Los dos parecían necesitar pan para el alma.

PRIOR: ¿Cuánto os dieron? (*El portero le entrega con repugnancia visible varias monedas de oro.*) Ajá. Habrá que devolver esto. Aquí no somos franciscanos. (*Retiene las monedas y se vuelve* 5 *hacia el cardenal y el ministro.*) Como habéis oído, señores que buscáis a no sé qué rey, aquí no ha entrado sino un burgués con su esposa. ¿Queréis dejar de interrumpir la paz de este monasterio y marcharos? Digo, a menos que tengáis hambre y sed. 10

MINISTRO: Es que . . .

CARDENAL: Monje, seas quien fueres, ¿no reconoces a un príncipe de la Iglesia?

PRIOR (*Altanero*): Lo reconozco sólo por los clavos, y no los veo en tus manos, como no sean esos anillos de oro. 15

CARDENAL: ¡Impertinencia! ¿No te das cuenta de que . . . ? Abrid pronto esa puerta y esperad sanciones de la Santa Iglesia.

Mientras el portero, a una señal del prior, abre el portón, por primer término derecha aparece Carlos V llevando de la mano a Isabel de Portugal, su esposa. Ambos vienen 20 *absortos y meditativos y sonrientes con una contenida sonrisa hija de la paz y de la armonía del ambiente. Al ver al cardenal, que sale seguido por el fraile, Carlos detiene a su esposa y espera un instante mientras vuelve a cerrarse el portón.*

Carlos V de Alemania y I de España viene vestido con un 25 *traje pardo de viaje y se asemeja mucho a sus mejores retratos. Es ya el padre de la cristiandad por encima de Clemente VII;*[5] *el señor del mundo por encima de Francisco I*[6] *y de Enrique VIII:*[7] *lúcido, preciso, guerrero pacifista. Sin estas condiciones suyas, quizás el protestantismo no hubiera llegado a* 30 *afirmarse en Europa. Es, además, el padre de la Nueva España, pero también el padre, por su nacimiento, de la Inquisición española*[8] *y, sobre todo, el hijo de Juana la Loca.*[9] *Es ya, en el haz de auroras de este momento del mundo, el hombre a quien el exceso de poder llevará, treinta años más tarde, a la abdicación, para gozar también de la última posesión posible en la tierra: la renunciación. Su mente está ya formada para moverse y funcionar en un constante juego de luz y sombra, en una dualidad constante: flamenco, alemán y español; guerra y paz, religión y lucha con Roma; lucha contra, y tolerancia de, Lutero;*[10] *heroísmo militar y misticismo — dualidad de la que Felipe II*[11] *no heredará sino el cuadrante de sombra y las agujas de la sospecha y de la duda. Acaba de ganar otra batalla a Francisco de Francia, ya que se apresta a recibir la corona de los romanos; pero su ánimo y sus ideas están en otra misteriosa parte.*

Al cerrarse el portón tras el cardenal y el fraile, el rey sonríe y adelanta unos pasos; pero su sonrisa se esfuma ante el profundo saludo del ministro.

CARLOS: ¡Ay, Jesús!

ISABEL: ¿Por qué decís tan a menudo esa frase, señor?

CARLOS: No lo sé. Quizá porque es la primera que aprendí a decir en español. Quizá porque será la última que diré en mi vida.

ISABEL: ¡Señor!

MINISTRO (*Avanzando hacia él*): Señor . . .

CARLOS: Convenid en que es irónico. Gracias a ese accidente de la carroza, descubro el paisaje más extraordinario que he visto: el paisaje que reúne mi deseo de vida y mi esperanza de muerte, y descubro también este monasterio increíble — tan flamenco todo, dentro de España, tan fincado en mi piel, y . . . y veo salir al Cardenal y quedarse y saludar al Ministro. Tengo la mala suerte de cualquier monarca, señora, si no peor.

PRIOR (*Adelantándose*): Aquí tenéis vuestro oro, que nada puede comprar en este sitio.

CARLOS: Otra complicación.

PRIOR: Y marchaos a otro lado. No importa que seáis rey o burgués. Aquí la única moneda que circula es la del amor a Dios.

CARLOS: Hablaré con vos después, padre. Soy el rey para el pueblo, y soy sólo un poco de polvo para Dios. Dejadnos ahora, os ruego, ya que el mundo me persigue hasta aquí, y dejadme esperar que no seré indigno de pisar estas losas — ni de besarlas.

PRIOR (*Al portero*): Venid, hermano.

Los dos salen lentamente por segundo término izquierda. Carlos se vuelve entonces al ministro. El emisario se oculta bajo un arco al fondo izquierdo.

CARLOS (*Al ministro*): No me dejaréis gozar tampoco este lugar. También aquí tengo que estar a caballo y que pelear, y que juzgar y que destruir y que construir, en vez de disfrutar del aire de la tarde como cualquiera de mis campesinos.

MINISTRO: ¿Es culpa mía si sois señor del mundo?

CARLOS: ¿Es culpa mía si el mundo es mi señor? Un señor que no me da un solo instante de reposo. Dejadme dormir un poco al sol que se oculta, y os daré todo lo que pidáis.

MINISTRO: Todo lo que yo os pido, señor, es que me dejéis dormir a mí, aunque sólo sea de noche.

CARLOS: Eso es: quejaos. La queja del súbdito ahoga siempre la del monarca. Pero estoy cansado, y para vos, estoy en Roma, no aquí. Durmamos al mismo tiempo y eso lo resolverá todo. Que todo el mundo duerma a la vez: el siervo y el ministro y el cardenal y el rey. Haced un decreto real.

MINISTRO: No nos engañemos, señor. En cuanto el pueblo de España sepa que tiene que dormir por decreto real, se dedicará encarnizadamente al insomnio.

CARLOS: Yo haría lo mismo. ¿Qué es lo que pasa ahora, veamos, que me seguís hasta este sitio? ¿Flandes, Brabante, Alemania, el Palatinado; Lutero, Francisco de Francia, Clemente, que va a coronarme en Roma, mi familia? ¿Qué?

MINISTRO: Tratándose de cualquiera de esos problemas, lo habría resuelto en Valladolid y me hubiera ahorrado este innoble molimiento de huesos que me dejan los viajes en carroza. Pero no se trata de nada de eso.

5 CARLOS: ¿Algo nuevo bajo el sol al fin?

MINISTRO: Señor Rey, se trata de América.

CARLOS (*Un paso adelante*): ¿De qué?

MINISTRO: De América, señor.

CARLOS: ¿Y qué puede ser eso? ¿Qué es América? Eso no existe.

10 MINISTRO: Decid más bien que no existía, señor. No existía siquiera cuando fue descubierta. Pero ahora, gracias a los cosmógrafos alemanes y holandeses, vuestros súbditos, no sólo existe América, bautizada por el nombre de Amérigo Vespucio,[12] sino que existen la América Septentrional y la 15 América Meridional, en vez de lo que llamábamos el Nuevo Mundo.

CARLOS: ¡América! Disparate. No existe más que el Nuevo Mundo, que no es más que la Nueva España, pese a ese charlatán de Vespucio a quien Dios confunda como él ha confundido la 20 cosmografía. Me siento tentado a veces de escuchar a mis aduladores cosmógrafos y llamar a esa tierra Carolandia, Carolia o Carólica. Después de todo, es obra mía.

MINISTRO: No hay que olvidar a Isabel y Fernando, señor, que pusieron el dinero.[13]

25 CARLOS: Fue Isabel quien lo puso. Las reinas siempre se las arreglan para tener más dinero que los reyes. (*Se vuelve hacia Isabel.*) Ahorraos, señora mía, este fastidioso negocio que nos traen, y pasead un poco por el huerto, ¿queréis?

ISABEL: Volveré pronto, señor. (*Sale, ante una inclinación del ministro,* 30 *por primer término derecha.*)

MINISTRO (*Ligando*): Ni hay que olvidar al ignorante Colón, que creía seguir a Marco Polo y siguió a otro polo.[14]

CARLOS: ¿Colón? Descubrir un continente es poco: lo difícil es administrarlo. ¿Qué sería del Nuevo Continente sin mis capitanes Cortés y Pizarro y Alvarado,[15] y sin mis justicias, adelantados y obispos?

MINISTRO: Lo inquietante más bien, señor, es saber lo que va a ser del Nuevo Continente con ellos. En todo caso, América . . . 5

CARLOS: ¿Otra vez?

MINISTRO: Es inútil luchar contra la falsedad y la pereza de los hombres, señor. Por eso me someto al nombre inventado por la *Introductio Cosmographicae* de Waldseemüller o como se pronuncie.[16] 10

CARLOS: Política de mis enemigos. Me gustan los mapas, pero los verdaderos.

MINISTRO: Es igual. Ya podemos desgañitarnos hablando de la Nueva España, de las Indias Occidentales y del Nuevo Mundo, que por cierto es bastante más viejo que éste: América es más corto, más engañoso, más vago, y por ello más susceptible de generalizarse. Quizá se hablará un día de la América española, para diferenciarla de la francesa o de la sajona, porque ni Francia ni Inglaterra van a abstenerse de efectuar exploraciones, ni a quedarse con las ganas de arrebatarnos aunque sea unas migajas de territorio y de poder en . . . (*Ante la mirada severa de Carlos, se detiene.*) 15 20

CARLOS: ¿En dónde?

MINISTRO: En . . . en las Indias. 25

CARLOS: ¿Queréis decir en América? Dejémoslo allí. Ya sabéis que prefiero ceder a todo antes que tener discusiones de familia. Soy hombre de paz.

MINISTRO: Vuestras guerras lo prueban, señor.

CARLOS: ¿Qué ocurre, pues, con América para que me detengáis así a medio viaje a Roma? (*Suspira y pasea mirando algún invisible punto del espacio mientras el ministro lo sigue más lentamente.*) 30

MINISTRO: Mejor será que lo oigáis de labios del propio mensajero, señor. Pero debo advertiros antes que la situación es compleja y reclama una atención y una meditación especiales.

CARLOS: ¿Hay alguna tarea de mi oficio que no las reclame? ¿Y para qué soy entonces esta especie de monstruo o hidra y tengo las cabezas de todos mis consejeros y ministros?

MINISTRO: Con perdón de Vuestra Majestad, en primer lugar, sois un monarca absoluto . . .

CARLOS: Mis súbditos me fuerzan a serlo, pero no me divierte.

MINISTRO: . . . y en segundo, éste es un caso en el que vuestros ministros no pueden asumir responsabilidad alguna, porque no puede resolvérselo por medio de la inteligencia administrativa o política, sino quizás únicamente por medio de ese privilegio que la fantasía popular atribuye a los reyes, que es la inspiración, hija de la gracia divina. Vuestros ministros no son reyes ni emperadores ni seres inspirados, sino simples animales mortales de estudio o de trabajo.

CARLOS: En otras palabras, la responsabilidad que resulte deberá ser mía únicamente, como de costumbre.

MINISTRO: La gloria, señor, la gloria.

CARLOS: Quisiera ver por una vez un espíritu de iniciativa en mis ministros.

MINISTRO: En cuanto lo vierais, señor, ellos dejarían de ver sus cabezas sobre sus hombros.

CARLOS: ¿Y no es eso una cobardía?

MINISTRO: No es sino el deseo de serviros el mayor tiempo posible.

CARLOS: No es nada halagüeño, especialmente considerando cuán poco sé del Nuevo . . . de las Ind . . . en fin, de la América.

MINISTRO: Tratándose de política europea, señor, todos nos encontramos en terreno conocido, familiar en el más estricto sentido de la palabra. Los monarcas son familiares vuestros, por sangre o por alianza, a un grado nunca antes visto en

Europa. Sois el monarca que más ha dilatado el círculo de familia porque sabéis por experiencia dos cosas: una, que la familia profesa a menudo intereses afines con los nuestros, pero siempre inconciliables con los de ellos; otra, que hay que vivir en familia para conservar viva la desconfianza en la familia. Un cortesano vuestro, buen cristiano, pero agudo y audaz, ha llegado a preguntarse por qué no establecéis una alianza de familia con Lutero, a fin de tenerlo más a mano.

CARLOS: ¡Sacrilegio y estupidez! Soy el padre de la cristiandad, ¿y queréis que introduzca en mi casa al diablo?

MINISTRO: Los teólogos os dirán, señor, que tener al diablo en la casa de Dios es menos peligroso que dejarlo en la suya propia. Poco ha que murió en Italia un tal Maquiavelo que expresó ideas parecidas hablando de una alcachofa.[17] No olvidéis, además, que si bien sois el padre de la cristiandad, Francisco I es el hijo predilecto de Roma.

CARLOS: ¡Ese saqueador de cuadros y de estatuas![6] He ahí algo que tendrá que arreglarse muy pronto. El Papa Clemente me ha dado ya muchas muestras de mala voluntad, y más de una vez me he preguntado si mi misión no consiste en acabar con el poder temporal de la Iglesia. Quizá lo habría hecho ya, si fuera idea mía y no de Martín Lutero.

MINISTRO: También el Papa debería ser miembro de vuestra familia.

CARLOS (*Agradablemente sorprendido*): Buena idea.

MINISTRO: En suma, la política y el ambiente de Europa nos son conocidos como cosa propia — aunque a veces la obra se vuelve contra sus creadores. América es el otro extremo del mundo, señor. Los informes que recibimos de las autoridades, y las cartas mismas de Cortés, no bastan a ilustrarnos.[18] Y no sabemos hasta qué punto es posible aplicar idénticas leyes ni imponer igual conducta a los indios que a los españoles. La medicina que salva a un enfermo a menudo mata a otro; y, lo que es peor, la medicina que mata a un enfermo con frecuencia salva a otro enfermo. El español mismo, una vez allá, parece sufrir un cambio, cobrar una idea excesiva de su propia importancia, conferirse un rango divino, y trata de reinar sobre el indio, a juzgar por los informes.

5 CARLOS: ¿Habéis dicho reinar? ¿Existe alguien, fuera de Dios y de mí, que pueda reinar en mis dominios?

MINISTRO: De cada aventurero español, el descubrimiento y la conquista de América han hecho un rey. Pensad en Colón, señor, a quien hubo que hacer volver con prisiones en los pies
10 y en las manos.[19] Y pensad en Cortés, de quien mucho se ha dicho y más se dirá en el sentido de que aspira a ser emperador de las Indias.

CARLOS: Cortés es el mejor soldado de España, después de mí, y es leal. Y si no lo fuera, ya sabemos cómo se llega a la América.

15 MINISTRO: Puede que sea leal porque se siente más que rey.

CARLOS: ¿Cómo?

MINISTRO: Que Dios me perdone, pero tengo noticias de que Cortés se siente Adán, señor Rey, y se unió a esa india, la Malinche o doña Marina, lengua y Eva de Tabasco,[20] como
20 para fundar un nuevo paraíso. Pero . . . (*Carlos va a hablar. El ministro se apresura a seguir.*) Pero cada soldado español, cada miembro del cabildo, cada encomendero,[21] cada pequeño funcionario, cada comerciante, cada miembro de cada gremio, se atribuye esa situación cuasi divina — y esto
25 es más ridículo que sacrílego, señor — con relación al esclavo indio. Y así será por muchos años.

CARLOS: Ni sacrílego ni ridículo. Yo lo entiendo muy bien, como alemán sé por qué es así. Pero mis misioneros escapan a esa regla. Ellos llevan la fe y la luz y se conducen como iguales y
30 hermanos de los indios.

MINISTRO: Lo cual los hace más peligrosos, porque desarrollan así ese inconveniente sentido de igualdad en los naturales, y después porque todos, hasta vuestro hermano, dependen de Roma.

Carlos: La Orden franciscana sólo depende de Dios, y por lo tanto de mí. Son los únicos religiosos que no hacen política romana, y representan todo cuanto mi alma cristiana quiere de bueno para los habitantes de ese mundo. Es natural del soldado usar la fuerza; es natural del juez usar la ley, valerse de instrumentos sin los cuales parecerían hombres como los demás y serían destruidos, a la vez que el buen gobierno, por ellos. Pero contra la violencia necesaria, contra la justicia inevitable (*Se oye golpear con autoridad el portón*), Dios nos ha dado la bondad y la fe, que son las armas del misionero. (*Nuevos golpes.*) Las armas, justamente, que, igualándolo a todos los hombres, dan el triunfo a su causa divina. (*Vuelven a llamar.*) Vamos, ved quién diablos está tocando así.

Entretanto, el portero motilón ha sobrevenido con pasos presurosos y se dirige a abrir. Mientras lo hace, continúa hablando el ministro, en tanto que el cardenal franquea la puerta, escoltado por el fraile, despide de un gesto al portero, que sale, y se pone a escuchar con impaciencia.

Ministro: Desgraciadamente, señor, la cuestión de América no es una cuestión teológica: es una cuestión política, y afecta intereses que son vitales para España.

Cardenal (*Adelantándose*): Ya estáis allí, como siempre, hablando de las cosas materiales del mundo, que son las que os preocupan. ¿Y por qué no me hicisteis llamar sabiendo que buscaba yo a Su Majestad? ¿Y qué hacéis entretanto de todos los demás asuntos, señor ministro? ¿Y qué es esto que acabo de saber y que me ha hecho venir de Salamanca a matacaballo? (*Los otros lo miran y se miran.*)

Ministro: ¿A cuál de tantas preguntas prefiere Su Eminencia que conteste?

Cardenal: Me dejasteis salir de aquí para adelantaros ante el Rey, sabiendo que . . .

Carlos: ¿Qué es lo que os ha hecho venir, Cardenal?

Cardenal: La obra del demonio, señor, que continúa sin freno en México.

CARLOS (*Sorprendido*): ¿Mé . . . xi . . . co?

MINISTRO: La Nueva España, señor. Aparentemente los bárbaros naturales llaman a la ciudad capital, a más de Tenochtitlán, Méshico, o Mécsico, o Méjico, o cosa parecida.[22]

5 CARDENAL: Se me habla de incidentes sangrientos en México, en Tlacopan, en Tlaxcallan, en Tlatelolco, en Atzcapotzálcotl, en Cuyuacán mismo, donde Cortés ha fijado su residencia; en Teotihuacán y . . . [23]

CARLOS: Habría que simplificar esos nombres.

10 MINISTRO: Vuestros súbditos lo harán por sí solos, señor. El español practica una orgullosa resistencia a hablar bien todos los idiomas, incluyendo el propio.

CARDENAL: No he venido aquí para hablar al Rey de cuestiones de lenguaje, señor ministro. Los informes que recibo me prueban 15 que los infelices naturales de la Nueva España se encuentran en peligro mortal, y nuestro deber cristiano es salvarlos.

MINISTRO: Por una vez, Majestad, Su Eminencia y yo estamos de acuerdo: hay que salvar a los naturales de la Nueva España.

CARDENAL: Dios sea loado porque abre vuestros ojos. (*Dudoso de* 20 *pronto.*) A no ser que *yo* sea el equivocado.

MINISTRO: De ningún modo. Vuestra palabra se ha adelantado sólo un segundo a la mía.

CARLOS: Veamos: ¿estáis de acuerdo, entonces, en que debo salvar a los indios?

25 MINISTRO: ¿Qué haríamos sin ellos? Si los indios llegaran a extinguirse . . .

CARDENAL: Sería una mancha imborrable la que caería sobre la cristiana Majestad de Carlos V.

MINISTRO: Eso sería lo de menos.

30 CARLOS: ¿Cómo?

MINISTRO: Si los indios desaparecieran, ¿quién bajaría a lo profundo de las minas en busca de metales, quién acarrearía los bloques de piedra para levantar iglesias, conventos y palacios y casas habitables; quién cultivaría la tierra? No serían seguramente los españoles, que han ido a América para conquistarlo todo menos el trabajo, puesto que han ido como héroes y como aventureros. Y entonces todos nuestros proyectos para acrecer el poderío y la riqueza españoles caerían por tierra. 5

CARDENAL: Ya sabía yo que no podíamos estar de acuerdo. No puedo tolerar más el tono ligero con que tratáis estas cosas. Yo hablo de las almas de esos infelices y de la salud eterna. 10

MINISTRO: Y yo, Eminencia, hablo de sus cuerpos, y de la salud de España.

CARDENAL: ¿Y qué podréis hacer con sus cuerpos si perdéis sus almas? 15

MINISTRO: Sed práctico: ¿qué diantres podréis hacer con sus almas si perdéis sus cuerpos?

CARDENAL: ¡Sacrilegio! ¡Blasfemia! Sólo el alma da vida al cuerpo.

MINISTRO: Cebad las almas, Eminencia, engordadlas, y si no tienen cuerpo que habitar, no servirán más que para el paraíso, el purgatorio o el infierno, según su inclinación. Ayudad a vivir al cuerpo, y salvaréis el alma. 20

CARDENAL: Eso es lo que resulta de aplicar las enseñanzas de los paganos griegos al mundo cristiano. Engordad y cebad los cuerpos descuidando las almas, y todas caerán en el fuego del infierno. 25

MINISTRO: Dios hizo primero el Verbo;[24] pero la Iglesia siempre quiere tener la última palabra.

CARDENAL: Permitid . . . 30

CARLOS: ¿Queréis explicaros al fin? Una cuestión que parecía tan ajena y tan lejana hace un cuarto de hora, cobra, de pronto, proporciones increíbles — como si estos techos se

desplomaran sobre nosotros. Habláis de perdición y de salvación; uno habla de cuerpos y otros de almas, y miro divididas a las cabezas de mi gobierno sin comprender por qué — cosa que no me agrada — y los dos parecéis olvidar la
5 presencia del rey. Acabemos y decidme ya de qué demonios se trata.

CARDENAL: Señor, Vuestra Alteza comprenderá en cuanto yo le diga, en nombre de la Iglesia, lo que ocurre.

MINISTRO: Con la venia de Su Eminencia, creo que lo más sencillo
10 será que el Rey escuche la exposición de los hechos de labios del propio emisario.

CARDENAL (*Satisfecho*): Iba yo a proponerlo.

MINISTRO (*Mirándolo con desconfianza*): ¿Sí? Quizá sea *yo* quien se equivoca ahora. En todo caso . . .

15 *Se dirige con rapidez hacia el extremo del fondo en que está, oculto en la penumbra, el fraile. El cardenal, por su parte, se recoge la sotana y corre casi hasta el sitio en que, incorporado al muro de piedra, espera el emisario. Los dos vuelven al frente sin mirar hacia atrás, gritando simultáneamente:*

20 CARDENAL y MINISTRO: ¡Hola, mensajero!

Carlos se da cuenta de la confusión y empieza a reir silenciosamente.

MINISTRO y CARDENAL (*Simultáneamente y sin volverse*): Vamos, ¡hablad!

25 *El emisario se adelanta hasta quedar frente al cardenal, que parece ver visiones, y pone una rodilla en tierra.*

CARDENAL: Ya sabía yo que este juego no era limpio, señor. Me han cambiado a mi mensajero, ¡me han hecho trampa!

El ministro, azorado, se vuelve para encontrar, detrás de él,
30 *al fraile.*

MINISTRO: Me parece que quien juega sucio es Vuestra Eminencia.

CARLOS (*Riendo*): No hay nada como la precipitación y la violencia para que se haga uno trampa a sí mismo. Por mi fe, esto vale la pena de que lo vea la Reina. Llamadla, pues, señor Cardenal: estará en el huerto o en la capilla. Por allí.

Furioso, el cardenal hace señas de seguirlo al fraile y salen por primer término derecha. Carlos se vuelve al emisario, que es un soldado, una primera edición del soldado cervantino, castellano, de aspecto noble, sereno y decidido. A la inversa del Manco de Lepanto,[25] *cuyo brazo quedará sólo inmovilizado, a éste le falta uno por completo (el izquierdo). La presencia del Emperador y Rey lo impresiona sin turbarlo, como un licor vivificante. Carlos le hace seña de levantarse.*

EMISARIO: Dios guarde a Vuestra Alteza muchos años.

CARLOS: ¿Dónde perdiste el brazo?

EMISARIO: En el mismo lugar donde gané el corazón, señor, peleando por los colores de España. Lo esencial no es que haya perdido un brazo por Vuestra Alteza, sino que haya ganado el corazón para servirla.

CARLOS: ¿Eres hombre de Cortés, de Alvarado o de Pizarro?

EMISARIO: Soy hombre de España.

CARLOS: Di quién te envía y dame en seguida tu mensaje.

Isabel entra en ese momento por primera derecha, seguida por el cardenal, seguido a su vez por el fraile, que es pequeño, enjuto y enérgico. Si pudiera, el cardenal pasaría por delante de la Reina. Es tal su prisa que habla desde la entrada.

CARDENAL: Un momento, señor, os lo ruego. (*Carlos se vuelve. El cardenal empuja al fraile hacia adelante.*) Hablad, hermano, hablad.

CARLOS (*Mirando lentamente al fraile*): ¿Sabes quién soy, fraile?

FRAILE: Sí: un hombre.

MINISTRO: Fraile, inclínate ante la majestad de Carlos V, Rey de España y Emperador de Alemania, Príncipe del Palatinado y Duque de Brabante, señor del Nuevo Mundo, emperador del Sacro Imperio Romano y jefe de la cristiandad.[26]

FRAILE: El cristiano no tiene más jefe que Cristo Vivo, y los reyes tienen más pecados que los hombres. Si yo saludo a Carlos como a un hombre, le rindo homenaje. Si lo saludara como a un monarca poderoso, tendría que ofrecerle hipocresía, y eso me lo prohibe la Ley de Dios.

CARLOS: Tienes la lengua acerba, fraile, y eso me agrada. En mí el príncipe no ha podido acabar con el hombre.

EMISARIO: Eso es porque sois español.

MINISTRO: Príncipe español.

FRAILE: Este hombre que pone adjetivos debe de ser un ministro, y si lo es debe saber que lo que Carlos tiene de príncipe es sólo lo que tiene de alemán.

EMISARIO: Y que lo que tiene de hombre es lo que tiene de español. De acuerdo.

CARLOS: Ya que estáis aquí los dos y que venís del mismo sitio — quizá debo decir del mismo mundo —, decidme quién os envía ante mí y cuál es vuestro mensaje.

FRAILE: A mí me envía mi obispo.

EMISARIO: A mí me envía el ejército de España.

CARLOS: Habla primero tú, soldado.

FRAILE: ¿Y si yo te dijera que a mí me envía Dios?

CARLOS: Ya lo dijo éste. (*Por el emisario.*) Dios se manifiesta en los hombres, no en un solo hombre fuera de Cristo.

CARDENAL: ¿Es decir que vos, Emperador Cristianísimo, haréis pasar a mi Iglesia en segundo lugar?

CARLOS: Sólo al obispo de vuestra Iglesia, que por esta vez no es su piedra.

MINISTRO: ¡Ay, qué rey tengo! Como buen español tiene de héroe y de santo, de teólogo y de torero.

CARDENAL: ¡Adulación! ¿Dónde dejáis . . . ?

CARLOS (*Interrumpiéndolo*): ¿Qué es lo que habéis dicho?

CARDENAL: Que os adulan, que . . .

CARLOS: No, vos. (*Al ministro, que tiene un gesto asombrado.*) ¿Existe eso, o es que todavía no acabo de aprender el castellano? Esa palabra que habéis dicho. 5

MINISTRO: ¿Cuál entre tantas, Majestad? Soy verboso, lo reconozco, pero, ¿hay español mudo?

CARLOS (*Haciendo memoria*): Dijisteis: to . . . re . . . ro.

MINISTRO: ¡Ah! Una palabra de mi invención, señor. Cuando veo a Vuestra Majestad, a los príncipes y a los nobles entregarse al 10 juego peligroso y fascinador de alancear toros, pienso en los lidiadores de Roma, y pienso que un día el pueblo hará de ese entretenimiento un menester u oficio. Entonces, como se trata de combatir al toro, de torear, digamos, los llamo a veces toreadores, a veces toreros, para darles ese perfil de 15 medalla que imprimen las palabras sobre los hombres.[27]

CARLOS: ¡Palabras, palabras!

MINISTRO: Pero, además, la lucha contra el toro llegará a ser un día como la lucha contra el diablo . . .

CARDENAL: A ése lo dejáis fuera cuando aduláis al rey. Dijisteis 20 santo, héroe, teólogo . . . ¿Y el demonio, pues, que habita en todos los hombres, y más que en todos ellos en los reyes porque son edificio humano muy más grande?

MINISTRO: Lo he incluído en el teólogo, Eminencia. (*Ademán de protesta del cardenal, que va a hablar.*) 25

CARLOS (*Situándose al centro de la escena y de los personajes con Isabel, a quien ha tomado de la mano*): Callad, señores, que no es hora ya de las viejas disputas de Europa. El corazón me dice que principia la hora de América. Habla, soldado.

EMISARIO: Señor, vuestro ejército sufre en el Nuevo Mundo porque 30 ha sido engañado, traicionado y vendido. Se nos hizo creer que iríamos como héroes empeñados en una lucha titánica y gloriosa, y se nos convierte todos los días en violadores, en asesinos y en verdugos. Se nos ha enfrentado a un enemigo que, aunque mayor en número; aunque experto en el conocimiento de sus montañas, de sus selvas y sus lagos; aunque provisto de flechas y de lanzas con puntas de obsidiana y de armas de piedra y rodelas de cuero; aunque dominador de la serpiente, del águila y del tigre cuyos nombres y símbolos ha adoptado como signos de jerarquía;[28] aunque guerrero vencedor de otras tribus, subyugador de príncipes y sacrificador de hombres, estaba vencido de antemano por el rayo de nuestros arcabuces y morteros; por la carrera vertiginosa de nuestros caballos, que considera como a monstruos irreales; por la traición, que alienta siempre en él como un sexto sentido; por nuestro acero deslumbrador y por sus orgías de sangre y de pulque, y por las profecías mismas de sus dioses elementales o de piedra; pero que nos recibió como a hermanos y no como a enemigos y nos dio sus pedrerías y sus plumas y nos sahumó con incienso y nos abrió sus palacios y sus jacales y nos ofreció a sus mujeres y doncellas. O que nos recibió como a enemigos y nos dio viril combate. Pero los hombres de la Iglesia han derribado sus pirámides y sus templos; han abolido sus placeres, sus juegos y sus tradiciones; han apagado sus estrellas y su luna, han detenido su sol y su viento, han escampado su lluvia, han dispersado su fuego, que ellos adoraban como a dioses, y los han hecho bajar a las minas y subir a las canteras obligándolos, en castigo de su paganidad, a construir la Iglesia de Cristo con el oro y la plata y el tezontle; y los han privado de su lenguaje y su comercio naturales y de sus fiestas y regocijos; les han quitado todas las armas que tenían para luchar como hombres, y los han hecho volverse contra nosotros y atacarnos con la celada y la sorpresa, que son las armas de los débiles y cobardes en que los han trocado. Y a nosotros nos han hablado de que hay que defender a la Iglesia de Dios contra estos idólatras y sacrificadores y convertirlos en esclavos — a ellos, que son guerreros como nosotros y que podían haber luchado a campo abierto dándonos el ejercicio de la guerra y la gloria del triunfo de que necesitamos para respirar y vivir.

Y como hemos sido atacados por la espalda, a causa de esto, nos hemos vuelto tiranos en vez de guerreros, capataces en vez de soldados, sin más enemigos que combatir de frente que aquéllos que no podemos dominar: el clima y los elementos, la enfermedad y la embriaguez, el botín sin placer, la sangre sin triunfo, y que nos convierten en bestias más salvajes que ellos. 5

CARLOS: Tú mismo has dicho que eran idólatras y gentiles, inferiores a vosotros.

EMISARIO: Estaban dispuestos a idolatrarnos como a dioses a nosotros también: la Iglesia no lo permitió. Estaban dispuestos a combatirnos a muerte, y la Iglesia se lo prohibe. Y nosotros queríamos vivir y morir como lo que somos: como soldados, y la Iglesia nos ha privado para siempre de hacerlo. 10

CARDENAL: ¡Anatema! ¡Anatema! ¿Qué veneno hay en ese país, que puede inspirar tan sacrílegos pensamientos a un soldado de España, a una criatura de Dios? ¿Y vais a tolerar, señor Rey, que se diga esto de la fe y de la Iglesia de Cristo? 15

CARLOS: Habla tú, fraile.

FRAILE: Carlos, tu Orden franciscana ha sido traicionada y tu Iglesia vendida. Se nos dijo que teníamos que salvar al indio, pero no al español, que peca más que él y que, día tras día, nos impide realizar nuestra obra de misericordia. Es difícil cultivar la semilla de Dios en el hombre, no porque el hombre sea malo, sino porque está hecho sin ventanas que permitan el paso de la luz divina. Sólo el miedo y la angustia que le produce vivir lo apegan a la religión y que le promete hacerlo revivir. La vida tiene que herirlo y que quemarlo, para que por cada herida o llaga manen el amor y el temor de Dios, que son su sangre, y bañen su cuerpo en vez de consumirse y ahogarse dentro de él. Pero cuando hablo de heridas no hablo de aceros; cuando hablo de fuego no hablo de cañones ni de incendios; cuando hablo de temor no hablo de destrucción y de terror. 20 25 30

CARLOS: Hablas, pero no hablas como un misionero sino como un inquisidor. Estarías mejor en el Santo Tribunal de la Fe, ¡por la mía!, juzgando y condenando a los que no abrazan nuestra religión, que inculcándola en América a los gentiles e idólatras por el amor franciscano de todos los seres. Si yo me estremezco al oirte, ¿qué no harán aquellos naturales? Hablas como tu Cardenal y como Roma, fraile. Hablas con más dureza que este soldado, y tienes mayor severidad hacia el indio que tu rey, y más grande omnipotencia sobre el hombre que Dios. Eres soberbio. Hablas . . .

FRAILE (*Interrumpiéndolo*): ¿Y me hablas así tú, el heredero natural de la Santa Inquisición española que fundaron Isabel y Fernando?[8]

CARLOS: Las necesidades políticas son cosas del hombre, no de Dios. Por eso los papas crearon la Inquisición; pero bastante mala fama nos da ya ese tribunal: más hombres mueren en un mes de romadizo o fiebre que ha matado la Inquisición desde que existe. Hemos quemado a tres judíos en tres años, y la gente habla ya de tres mil. ¿Y qué no dirá más adelante? Pero una cosa es el tribunal y otra el altar.

MINISTRO: Dejad que la gente crea lo que quiera, señor. Sin un poco de terror en sus gobiernos los reyes estarían perdidos: no podrían convencer a nadie, por contraste, de que son bondadosos y magnánimos. Además, los tribunales absorben la culpa como la estraza el aceite, diferencian al Rey y lo hacen más amado mientras más temidos son ellos.

CARLOS: Pero, ¿y los frailes? ¿Por qué han de hacer los frailes lo mismo que los reyes? Esa es la influencia perniciosa de Roma. Tú, tú, fraile, irás a administrar justicia en la Inquisición. No sirves más que para eso. ¿A qué Orden perteneces?

FRAILE: ¿No te lo dice mi hábito?

CARLOS: El que llevas no es un hábito, sino un disfraz. Tienes alma de dominico; ¿cómo podrías ser franciscano?

FRAILE: Soy franciscano a la española, no a la italiana. Si mi Orden me inclina a la bondad, España me empuja al fanatismo. ¿Y no sabes que no se puede ser misionero sin ser inquisidor? ¿Que hay que inquirir en lo profundo de las almas, y que eso es más doloroso que todo? ¿No sabes que un misionero es un físico de las almas y que debe purgarlas porque el hombre tiene miedo a ser bueno y sólo cree en su propia bondad cuando ha sufrido? ¿Y que hay que curar el miedo a la vida con el miedo a la muerte? ¿Y que el hombre tiene que sufrir naturalmente en su cuerpo y en su alma porque no hay otro medio de distinguir la salud de la enfermedad ni el bien del mal? ¿Y no sabes que cada uno de nosotros en México sufre por sí mismo y por los millones de infelices a quienes hay que salvar haciéndolos vivir? Pregunta cómo sufren Sahagún[29] y Benavente, a quien llaman Motolinía, que significa El Pobrecito;[30] y Alonso de la Veracruz[31] y Andrés de Olmos,[32] y el de Las Casas[33] y el de Gante, de quien se dice que es tu hermano y que vale más que tú.[34] ¿Cómo vamos a enseñar la piedad y la fe cristianas a los pobrecitos indios, si los soldados quieren convencerlos de que son héroes, como dice éste, para poder parecerlo ellos? ¿Si tus administradores quieren convencerlos de que son bestias de carga o topos en las minas? ¿Cómo persuadirlos entonces de que son hijos de Dios y hermanos nuestros? Ya ahora tenemos que luchar, no sólo contra lo que hay de malo en su levadura porque sus bárbaros padres y abuelos les enseñaron a ignorar al verdadero Dios, sino también contra todo lo que hay de malo en la levadura del español, que es mucho, y que tus soldados ponen en ellos y ellos aprenden pronto. ¿Y qué será después, con todos los hijos que hacen concebir sin matrimonio a las mujeres los apetitos de héroes como éste? Que no se culpe a la Iglesia de lo que ocurre allí, sino a éste y a sus iguales, a los políticos y a los lucreros, a los encomenderos y a los justicias, a los aventureros de la guerra y a los codiciosos de sexo o de riqueza. Nosotros no queremos dar al indio sino la fe que salva, el Dios que es nuestro gozo y nuestra esperanza, en vez de sus ídolos y de su animal impiedad.

EMISARIO: Queréis dárselo a la fuerza. Habéis destruido sus templos y expulsado a sus dioses.

FRAILE: No hay más que un Dios, y cuando Ese llega, todos los que se dicen dioses desaparecen. Queremos que Dios llegue hasta el indio y que el indio levante la casa de Dios, para que la ame como a su obra. Eso es todo. ¿Qué hacéis vosotros, en cambio? Queréis que sigan siendo paganos, que adoren el caballo y la guerra, y les quitáis sus armas de pedernal; pero enseñándoles que hay otras que deben adorar porque son más nuevas, más destructoras, más mortíferas, como el acero, el arcabuz y el cañón. Vosotros no sois hijos de Dios ni servís a Carlos ni a España: sois los apóstoles y los misioneros de Nuño de Guzmán.[35]

EMISARIO: Realizamos la misión civilizadora de la guerra, que es la que hace progresar al mundo.

FRAILE: Progresar en la ciencia de Caín.[36] ¿Y lo que hacéis con las mujeres?

EMISARIO: Hacemos hijos para mantener la vida en la tierra y la tierra en movimiento.

FRAILE: ¡Ciegos! Hacéis hijos que serán esclavos porque serán más indios que españoles, y ése será vuestro castigo. ¿No sabéis que si las cosas siguen así pronto pasará una de dos: o no quedará un indio vivo, o no quedará un solo español en pie para contarlo? Y no me digas que ésa es la ley de la guerra.

EMISARIO: Te digo esto: que nosotros les quitamos sus armas bárbaras y desbaratamos su arte bélica; pero les mostramos otras mejores, les damos un objeto para vivir. Vosotros les quitáis a sus dioses de piedra y les dais en cambio un dios de palabras. Les quitáis la realidad que tocan y les dais un paraíso que no ven, una mañana que no llega.

CARDENAL: ¡Herejía! ¿Crees tú en Dios y por qué crees en El?

EMISARIO: Creo en Dios porque creo en España, porque España existe, porque España acabó con el moro infiel;[37] porque veo a Dios en cada batalla ganada; en cada espiga de trigo que se mueve en los campos de Castilla; en cada palabra de mi lengua; en cada callejón de Toledo, y en cada pedazo de pan que como y en cada vaso de vino que bebo.

Ministro: Y tú, fraile, ¿crees en la bondad de tu monarca, en que quiere hacer del Nuevo Mundo un mundo cristiano? 5

Fraile: No, no lo creo. No lo creo porque veo al demonio poseído de cada soldado; al orgullo, enseñoreado de cada español; porque veo la codicia y la rapacidad de los hombres que buscan tesoros sólo en este mundo.

Carlos: ¿Crees en España? 10

Fraile: Creo en Dios.

Emisario: Y, sin embargo, no puedes hacer que el indio lo vea. Por eso no cree.

Fraile: El indio es de buena pasta: guarda las fiestas de los Reyes y de Corpus y de San Hipólito, patrono de la Nueva España,[38] 15 y goza en las procesiones. Es dulce de maneras y de voz y no tiene ese orgullo del diablo. Son el soldado y el encomendero los que le impiden ver a Dios y lo hacen embriagarse.

Emisario: Yo lo he visto en las procesiones: goza porque se viste con plumas o se disfraza de mujer y danza sus viejas danzas y se 20 embriaga. Y los he visto dejar en las fábricas de templos y de casas los signos de sus dioses y de su raza. Dejadlos ya que sean guerreros para acabar con ellos, o para que ellos acaben con nosotros.

Fraile: Cada quien ofrece a Dios lo que tiene. Dejadlos que sean 25 cristianos y mansos, y quizá os enseñen a vosotros a serlo algún día.

Cardenal: Es menester, señor, que esos infelices vean a Dios.

Emisario: Eso sí — pero un dios suyo, un dios mexicano. De otro modo, jamás volverán a ser hombres. 30

Cardenal: Dios no es de nadie y es de todos. Dios es universal.

CARLOS: ¡Tontería! ¿Por qué no decís de una vez que Dios es romano o francés, como queréis los de Roma hacer creer al vanidoso Francisco?[6] Dios es español, y no puede ser más que español. (*El cardenal se santigua, escandalizado.*)

5 MINISTRO: Eso convendría que lo supieran bien claro los aztecas.

CARDENAL: ¿Y cómo van a saberlo si vuestros soldados los excitan a pelear sólo para asesinarlos? ¿Y cómo van a creer en un Dios que los lleva sólo a la muerte?

EMISARIO: ¿Y cómo van a saberlo si vuestros frailes se lo impiden,
10 como siempre? ¿Cómo han de ver a Dios detrás del Diablo, que es de quien les habláis?

CARLOS: ¿Y qué puedo hacer yo, que no soy más que el Rey?

FRAILE: No dejes perecer a los indios si quieres salvar tu propia alma.

15 EMISARIO: No dejéis asesinar a los españoles si queréis salvar a España.

CARDENAL: Salvad las almas, señor.

MINISTRO: Salvad los cuerpos, príncipe.

CARLOS: Callad todos un poco. (*Pasea un momento. Se vuelve a Isabel,*
20 *cuya mano toma.*) Decidme vos, señora, qué pensáis de todo esto y qué me aconsejáis.

ISABEL: El consejo de la mujer suele caer en el hombre como la piedra en el pozo. ¿Para qué pedir mi opinión, señor, si acabaréis por hacer lo que queréis, como lo queréis y como
25 siempre?

CARLOS: Decidme al menos lo que pensáis.

ISABEL: Todos ellos tienen razón: hay que dejar que los idólatras vean a Dios.

CARLOS: Si lo vieran, estaríamos perdidos nosotros, en vez de ellos.
30 Serían nuestros iguales, o algo peor. Y Dios es español, ya lo dije.

ISABEL: ¿Veis cómo no queréis oirme?

CARDENAL: En nombre de Dios os pido que habléis, señora.

MINISTRO: El Rey pide siempre vuestro consejo y lo tiene en mucho. En nombre de España, hablad, señora. ¿Qué pensáis?

CARLOS: Dilo por amor mío, señora. 5

ISABEL: Señor, todos los hombres sois como niños, y mientras más fuertes y más libres os creéis, más niños sois. Os he escuchado a todos, y no hay uno de vosotros que piense con la cabeza o que sienta con el corazón. Habláis como verdaderos tontos y separáis las almas de los cuerpos. ¿De qué serviría salvar los 10 cuerpos sin salvar las almas? ¿De qué serviría salvar las almas sin salvar los cuerpos? ¿Y no sabéis acaso que Dios los hizo a los dos y que son como el esposo y la esposa, como la sangre y la piel? Y unos habláis de hacerlos ver a Dios, y el Rey dice que no hay que hacerlo porque Dios es español. 15 Puede que lo sea. Como Reina de España, yo espero fervientemente que lo sea. Pero todos os ponéis en ridículo nada más con esas ideas. Ni vosotros (*Por el grupo general*) tenéis poder para mostrar a Dios, ni Carlos tiene poder para impedir que lo vean si Dios quiere mostrarse. ¡Niños! 20

CARLOS: ¿Entonces?

MINISTRO: Señora, no se os esconde que España está en peligro. Políticamente sería un error acabar con los indios, porque entonces nada impediría a los españoles rebelarse contra el Rey, y nada impediría a Cortés hacerse emperador o dividir 25 de otra manera el reino. Pero tampoco podemos permitir que los indios destruyan a los españoles, porque entonces ya nada impediría a Francia o a Inglaterra, o a toda la Europa, acabar con nosotros y dispersar a los cuatro vientos el poder de Carlos V, que es necesario al mundo. Tenéis 30 razón: no está en nuestro poder ocultar o exhibir a Dios; pero está en nuestro deber salvar al Nuevo Mundo . . . para España. Y para hacerlo, necesitamos al igual del español y del indio. Es uno de esos casos.

CARDENAL: Señora, yo no os hablaré de política. Es preciso que la fe cristiana no perezca. Es preciso, en efecto, salvar en esta hora por igual las almas de los españoles y las almas de los infieles. Atravesamos una época turbia y difícil, propicia al juego de los poderes infernales. Si el Nuevo Mundo se pierde para la fe, el demonio y Lutero se apoderarán del Nuevo Mundo y de Europa, y veremos tiempos de desgracia y de aflicción para todos, y volveremos a la oscuridad infiel y a la barbarie pagana.

CARLOS: ¿Puedo hacer algo yo?

ISABEL: ¿Podéis mover la hoja del árbol?

CARDENAL: ¿Qué puede hacer la Iglesia?

ISABEL: ¿Podéis mostrar a Dios?

MINISTRO: ¿Puede hacer algo el gobierno?

ISABEL: ¿Podéis sustituir a Dios?

CARDENAL: La Iglesia puede trasmitir la palabra de Dios.

ISABEL: Que este fraile os diga si eso basta.

MINISTRO: El monarca puede imponer su ley.

ISABEL: ¿Os ha dicho el soldado que basta la fuerza?

CARLOS: ¿Entonces?

ISABEL: No podéis hacer nada, eso es claro: es una tarea de Dios. Esperad.

CARDENAL: Entretanto se perderán las almas de los indios.

ISABEL: Poneos en oración.

MINISTRO: Mientras oramos, se perderá el reino.

CARLOS: Por Santiago,[39] ¡qué situación! Todos mis parientes me envidian la posesión del Nuevo Mundo, y a fe que se la cedería gustoso para salir del problema. Sin embargo, hay una cosa que no entiendo: si les he enviado capitanes y justicias, si les he mandado una misión compuesta por los hombres más buenos del mundo, ¿qué es lo que buscan esos infieles? ¿Por qué este descontento, esta inestabilidad que tienen que llevar perpetuamente a la sangre y a la destrucción?

ISABEL: Mi señor, ¿habéis pensado en lo que sería de nosotros si los infieles nos hubieran vencido y conquistado? También ellos habrían enviado a sus mejores hombres, pero vos no estaríais contento y ningún español tampoco. Y habría sangre y habría destrucción.

CARLOS: ¿Cómo podéis comparar a los españoles con los indios? Acabamos al moro, qué era una raza más fina y probablemente superior a nosotros. ¿Por qué no acabaríamos con el indio? Esa es la verdadera solución entonces: acabemos con el indio, y todo sea por la sangre y por la destrucción.

MINISTRO: ¿Acabamos realmente con el moro, señor? Cuando digo las voces alcázar,[40] almohadón, alhóndiga y alcuza, alfarería y albarda, almohaza y almidón, y almendra y almirez y albedrío, y alharaca y aceite y aceituna y barullo, pienso: Ojalá y de veras hayamos acabado con el moro. Y entonces caigo en cuenta de que he dicho *ojalá*. Cuando veo cómo tratan los españoles a sus esposas, velándoles no el rostro sino el alma y guardándolas prisioneras en sus casas y en su ignorancia, pienso que es más bien el moro el que ha acabado con nosotros después de tanta sangre y tanta destrucción.

CARLOS: ¡Disparate! Las alianzas de las palabras y de las lenguas son como las alianzas de los príncipes y monarcas: el más fuerte sobrevive, y merced a Dios Todopoderoso, nosotros hemos sobrevivido como reino y como fe y como poder, gracias a la sangre y a la destrucción.

CARDENAL: ¿No sabéis, señor — y esto me lo dicen los misioneros que componen los vocabularios — que el indio pronuncia el castellano más bien a la andaluza, que nuestra lengua se corrompe con nuevas voces y que el andaluz empieza ya a imitar al mexicano? ¿No sabéis que los indios, que tienen el sentido de la gracia de los colores y de la forma, pintan y esculpen ángeles e imágenes que no son ya españoles? ¿Y cómo acabar con esto con la sangre y con la destrucción?

ISABEL: No. Ya no más sangre. Ya no más destrucción.

CARLOS: Dame el medio de contener la una y de impedir la otra.

ISABEL: Yo no tengo más arma ni más fuerza que mi fe de mujer. Voy a ponerme en oración ante mi Virgen predilecta, que es
5 la Guadalupe,[41] para que interceda por ti.

CARDENAL: Quizá, señor, si alguien — un príncipe de la Iglesia, digamos — fuera allá por vos, podríamos poner fin al conflicto. Pienso que yo . . .

EMISARIO: No son frailes lo que se necesita. Ningún príncipe de la
10 Iglesia sería mejor que un misionero, y éstos no pueden nada.

MINISTRO: No es mala idea. Se trata de una costumbre vieja: cuando Dios no puede bajar a la tierra, envía a su vicario, a su Hijo o a su Arcángel, o a un santo cualquiera. Si enviarais a un político hábil, a uno de vuestros ministros, quizás . . .

15 FRAILE: ¿Y qué podría un político más que Cortés, que es todo astucia, sutileza y malicia, y a quien los indios atribuyen un rango superior? Tú no sabes, Rey, que en sus regocijos populares los indios se disfrazan y contrahacen a Cortés o Alvarado cuando quieren hacer pensar en un gran jefe o en un dios.
20 No es así, no.

CARLOS: ¿Entonces?

ISABEL: No hay más que un camino, señor, y ése no es para corrido por los pies del hombre. El único camino es el camino de un milagro.

25 CARDENAL: La Reina tiene razón. Sólo un milagro de Dios puede salvar a los indios.

MINISTRO: Sólo un milagro puede salvar a los españoles.

CARLOS: ¿Un milagro? No sabéis todos los que tenemos que hacer para mantener vivo y flúido el manantial de nuestra hacien-
30 da; para conservar al pueblo de España, que es de agricultores, en la costosa ilusión de que es un pueblo de guerreros. No. Nada de milagros.

Emisario: ¿Qué es un milagro, fraile?

Fraile: No podrías entenderlo, porque no crees.

Isabel: Dices bien, fraile: no hay más que un milagro, que es la fe.

Carlos: Por primera vez, yo, que he luchado contra Lutero y contra Roma, contra Francisco y contra Flandes y contra el mundo, me siento perdido. Todos me dais consejos contradictorios: esperar, orar, destruir; enviar un cardenal, enviar un ministro; dar la razón a la Iglesia o al ejército; hacer un milagro. No puedo más. Marchaos ahora todos y dejadme a solas. Quiero meditar sobre todo esto aquí, en este silencio, en esta paz. (*Al ministro.*) Ved si quedó reparada la carroza y avisadme. Vos, cardenal, y tú, soldado, escoltad a la Reina. Tú fraile, llama al prior.

Todos obedecen, dirigiéndose a los puntos de salida correspondientes. Cuando Isabel va a trasponer el umbral, habla.

Carlos: Isabel . . .

Isabel (*Suspendiendo el paso en el umbral*): Dime, señor y esposo.

Carlos: ¿Cómo dijiste que se llama tu Virgen predilecta?

Isabel: No puedes haberlo olvidado, porque la reverencio desde niña y tengo su imagen en mi oratorio: es mi Virgen de Guadalupe de Extremadura.

Carlos: Eso es, claro. Y es guerrera, además. Gracias, señora.

Salen Isabel y el cardenal por el fondo centro; el emisario los sigue. El fraile, por segundo término izquierda, va en busca del prior. Carlos pasea de un extremo a otro, con los brazos extendidos hacia abajo, en tensión, las manos juntas, mientras sus ojos buscan en lo alto los últimos destellos del sol poniente. Queda abierto el portón del centro. Al cabo de un instante sobreviene el prior. Tras él reaparece el fraile, que sale por el fondo centro después de echar una última, indescifrable mirada al Rey.

Prior: Me llamasteis, hermano.

CARLOS: No sé bien por qué, pero estoy seguro de que volveré a este lugar un día. Tenéis el convento que más me ha hecho pensar y el paisaje que más me ha hecho sentir. Quizá porque me recuerda a Gerónimo Bosco, que tan bien entendía
5 y pintaba la sombra del paisaje.[42] Volveré, quería decíroslo. Quizá vendré a morir aquí algún día.

PRIOR: Dios fija el lugar de nuestra muerte, y su dedo lo vuelve un lugar lleno de luz.

MINISTRO (*Asomando al fondo centro*): La carroza de Vuestra
10 Majestad está lista. La Reina espera para despedirse de vos, señor, y volver con el Cardenal y conmigo a Salamanca.

CARLOS: Hasta algún día, padre. (*Besa la mano del prior.*)

PRIOR: Os acompaño.

CARLOS: Pasad.

15 *Salen. Carlos reaparece un instante después, como si hubiera olvidado algo. Da una última ojeada al ámbito y mira al cielo. Una sonrisa familiar se dibuja en sus labios. Musita, como saboreando las palabras:*

CARLOS: La Virgen de Guadalupe.

20 MINISTRO (*Asomando*): Señor . . .

CARLOS: Voy. (*Una última sonrisa, una última mirada en torno suyo.*) Eso sería un milagro. (*Sale rápidamente.*)

TELON

Acto segundo

LOS SIETE POR MEXICO[43]

Personas

MARTINCILLO (*andaluz*)
FRAY JUAN DE ZUMÁRRAGA[44]
FRAY TORIBIO DE BENAVENTE, *llamado* MOTOLINÍA[30]
FRAY BARTOLOMÉ DE LAS CASAS[33]
FRAY MARTÍN DE VALENCIA[45]
FRAY PEDRO DE GANTE[34]
DON VASCO DE QUIROGA[46]
FRAY BERNARDINO DE SAHAGÚN[29]
EL FRAILE (*del acto primero*)
UN INDIO JOVEN

La acción en México, a principios de 1531. La escena en el Obispado. Cuarto de trabajo u oficina del flamante primer Obispo de la Nueva España, Fray Juan de Zumárraga, vasco, enérgico y testarudo, varón de palabra recia y, a pesar de todo, de pocas palabras. Simultáneamente con el ascenso del telón, Fray Juan, que está sentado ante su mesa de trabajo, empuja con violencia una bandeja que se encuentra frente a él, se levanta y sale por la izquierda con decisión, moviendo negativamente la cabeza y golpeando la puerta.

Un instante más tarde entra un frailecillo minúsculo, de edad indefinida, qué porta el hábito de los franciscanos propaganda fide. *Se trata de Fray Martín — Martincillo — especie de secretario privado,* a látere[47] *o sirviente del Obispo, encargado de llenar las funciones características del papel secante cada vez que el temperamento de Su Ilustrísima gotea o chorrea la negra tinta del mal humor.*

Al ver vacía la pieza, Martincillo se dirige a la ventana del fondo centro, que permite abarcar una gran arquería en proceso de construcción. Es de tarde, y un sol uniforme y voluptuoso invade la habitación encalada, matizando la blancura de las paredes con brillantes pinceladas de reflejos. El Hermano Martín va a la mesa del Obispo. Contempla, con evidente expresión de reproche, la bandeja y la taza. Luego, sin mucha deliberación, procede a absorber el contenido de la taza, que bebe de un largo sorbo. Entonces toma una rebanada de pan que se encuentra también sobre la bandeja y la esconde en la manga de su hábito. No termina de apartarse de la mesa cuando se abre la puerta izquierda y reaparece el Obispo, aparentemente de peor humor que al salir. El Hermano Martín adopta una actitud de beata inmovilidad, como un soldado de Cristo en espera de órdenes.

MARTINCILLO: Hoy tampoco habéis tomado vuestro chocolate, Fray Juan.

FRAY JUAN: Podéis tomarlo vos.

MARTINCILLO: No me lo permitiría yo.

FRAY JUAN: Conozco la cantilena. Apuesto a que ya lo habéis tomado — como de costumbre.

MARTINCILLO: ¿Apostar un Obispo? Señor Dios, ¡qué tiempos!

FRAY JUAN (*Sin mirar*): ¿Y qué habéis hecho del pan?

MARTINCILLO: Ese lo guardo para mis indios.

FRAY JUAN: ¡*Vuestros* indios! Qué desenfado. ¿Tomáis a Dios por un necio? ¿Creéis que os perdonará el hurtar mi chocolate si hurtáis a la vez el pan para un indio?

MARTINCILLO: No creo que tenga tiempo de meterse en esas cosas, pero El nos recomienda el ahorro y la caridad, y San Francisco el *usus pauper et tenuis* de los bienes.[48]

FRAY JUAN: Sois un leguleyo, no un fraile, hermano Martín.

MARTINCILLO: Ya me lo tenéis dicho, pero vos mismo no lo creéis, hermano Juan. 5

FRAY JUAN: ¿Olvidáis que soy el Obispo de Nueva España para hablarme así?

MARTINCILLO: Estáis de mal humor hoy, señor Obispo, puesto que así hay que hablaros. 10

FRAY JUAN: Soy español, no soy santo.

MARTINCILLO (*A media voz*): Si sólo fuera eso — pero sois vasco.

FRAY JUAN: ¿Qué decís?

MARTINCILLO: No he dicho palabra.

FRAY JUAN: Mentiroso además. Claro que soy vasco. Y eso, ¿qué? 15

MARTINCILLO: Eso lo explica todo, Illustrísima.

Fray Juan va a responder, lo piensa mejor y se sienta ante su mesa.

MARTINCILLO: Hace días que estáis de mal humor y no entiendo por qué. Ya no tenéis confianza en mí como antes. Sois duro, 20 pero me maltratáis menos que de costumbre. Algo os pasa, Fray Juan.

FRAY JUAN: Perdonad si he sido duro, hermano Martín.

MARTINCILLO: Si lo que pasa es que no puedo perdonaros . . . (*Fray Juan se yergue*) . . . porque no me habéis hecho nada. 25 ¿Qué os atormenta, Fray Juan? ¿El recuerdo del indio que hicisteis quemar?

FRAY JUAN: Si no calláis, me olvidaré de que soy franciscano y obispo para . . .

MARTINCILLO: Para recordar que sois vasco. Ahora os reconozco mejor. Pero, en vuestro lugar, yo no me afligiría. Al quemar a ese pobre indio purificasteis su alma, de manera que se fue derecho al Paraíso del Señor. Y como todos los indios con-
5 versos seguirán el mismo camino, cuando vos lleguéis al Paraíso no podréis reconocer al achicharrado: es imposible distinguir a un indio de otro.

FRAY JUAN (*Sonriendo un poco a su pesar*): No me atormenta el recuerdo de ese indio, hermano. Lo que sufrió su cuerpo lo
10 goza su alma. Se ha salvado, estoy seguro, y fue el camino de la salvación para mí porque nunca volveré a permitir que se queme a otro indio, y no descansaré hasta lograr que se los considere a todos seres humanos. Y Las Casas y Gante y Sahagún me ayudarán a ello.

15 MARTINCILLO: ¿Qué os pasa entonces?

FRAY JUAN: Me pasa que el Rey mi señor . . . (*Se interrumpe, colérico otra vez.*) ¿Cómo os atrevéis a interrogarme? Id y dejadme en paz.

MARTINCILLO (*Pasando del regocijo al desconcierto*): ¿No habláis?
20 Bueno, otra vez será. (*Va a salir pero se vuelve desde la puerta.*) Me olvidaba yo. Allí afuera hay una comisión del gremio de los sastres, que quiere hablar con Su Ilustrísima.

FRAY JUAN: ¿De qué?

MARTINCILLO: No es culpa mía, os lo aseguro, señor Obispo.

25 FRAY JUAN: Decid ya.

MARTINCILLO: De . . . la procesión de Corpus Christi.[38]

FRAY JUAN: Id y decidles que . . .

MARTINCILLO: A mí no me creerán nunca, señor. Ya les he dicho todo, pero insisten en ver a Su Ilustrísima en persona.

30 FRAY JUAN (*Después de pausa*): Bien, hacedlos entrar. (*Martincillo va a la puerta.*) No, esperad. Iré yo mismo.

Se levanta y va lentamente a la puerta derecha, que queda abierta. Martincillo se santigua y se prepara a escuchar. Un instante después se oye, distinta, la voz enérgica del Obispo.

VOZ DE FRAY JUAN: Ya os he dicho que no, señores. ¿Cuándo me entenderéis? Sé por qué lo prohibo y sé que tengo razón, "y cosa de gran desacato y desvergüenza parece que ante el Santísimo Sacramento vayan los hombres con máscaras y en hábitos de mujeres, danzando y saltando con meneos deshonestos y lascivos."[49] 5

UNA VOZ: Su Ilustrísima olvida que el Cabildo ha permitido . . . 10

A la vez que se escuchan estas palabras, entra por la izquierda un fraile que, debiendo llevar hábito pardo, lo lleva azul como todos sus hermanos de Orden a causa de faltar la tela parda en Nueva España, según parece. Hombre delgado y ascético de facciones bondadosas y aire fatigado. Se dirige a Martincillo, que lo contiene y lo invita con el mismo ademán a escuchar. 15

VOZ DE FRAY JUAN: "Los que lo hacen, y los que lo mandan, y aun los que lo consienten, que podrían evitar y no lo evitan, a otro que Fray Juan de Zumárraga busquen que los excuse." 20

EL RECIÉN LLEGADO: ¿Qué pasa? ¿Está de mal talante el Obispo hoy?

Martincillo alza los ojos al cielo.

VOZ DE FRAY JUAN: "Y no sería en poco perjuicio de su alma y de la doctrina que se enseña a estos naturales . . . " 25

OTRA VOZ: Pero en España, Ilustrísima, en Italia . . .

MARTINCILLO: ¡Ay, Fray Toribio, Fray Toribio!

VOZ DE FRAY JUAN: "Y por sólo esto, aunque en otras tierras y gentes se pudiere tolerar esta vana y profana y gentílica costumbre, en ninguna manera se debe sufrir y consentir entre los naturales de esta nueva Iglesia." 30

Una pausa. Fray Toribio de Benavente, llamado por los indios Motolinía o El Pobrecito, sonríe y se dirige hacia un sillón de cuero en el que se instala con un suspiro de alivio.

LAS VOCES: Os prometemos poner coto . . .
5 . . . a esas manifestaciones de los naturales, Ilustrísima . . .
. . . pero permitid que saquemos la procesión este año . . .
. . . Todos los gremios . . .
. . . además de los sastres y los orfebres . . .
. . . Permitid, Ilustrísima . . .

10 *Pausa. Martincillo tiene un gesto de escepticismo.*

VOZ DE FRAY JUAN: Recordad que si no lo hacéis como Dios manda, a fe de Obispo que prohibiré para siempre las procesiones.

RUMOR DE VOCES: Gracias, mil gracias, Ilustrísima . . .
15 . . . Vuestra bendición, Ilustrísima . . .
. . . Con la venia de Su Ilustrísima, etc.

Martincillo lanza un suspiro de desahogo y se dirige hacia Motolinía.

MARTINCILLO: Parecéis cansado, Fray Toribio.

20 MOTOLINÍA: El camino de Tlaxcallan es largo, hermano; pero el indio es caritativo y me dio hospitalidad y alimentos. ¡El, que es más pobre que yo!

Durante esta frase de Motolinía habrá entrado sin ser visto, deteniéndose en el umbral, un fraile dominico, con la figura
25 *llena de autoridad, gallardía y española cólera, siempre en estado de ebullición. En este hombre la bondad misma, que es el índice de su carácter, reviste un vigor y una fortaleza extraordinarios: es el prior Las Casas.*

LAS CASAS: ¡Ah, Fray Toribio! Por más que dejo de veros, no
30 mejoráis. Siempre el mismo.

MARTINCILLO: Bienvenido seáis, Padre Las Casas.

MOTOLINÍA: ¿Qué queréis decir, hermano Bartolomé?

LAS CASAS (*Acercándose con deliberada lentitud a su sillón y levantando su índice lleno de firmeza*): Vanidoso como un... como un dominico, digamos.

MOTOLINÍA (*Dolorido*): ¿Yo? ¿Vanidoso?

LAS CASAS (*Mientras se sienta*): Dios sea con vos, hermano Martín. (*A Motolinía.*) Tenéis, hermano, la mayor de todas las vanidades: la de la pobreza. ¡Y os jactáis! Siempre he creído que sois un franciscano por equivocación: un falso franciscano. 5

MOTOLINÍA (*Acalorándose*): Vos, en cambio, sois un verdadero dominico. 10

LAS CASAS: Nacisteis para obispo — pero acabaréis fraile.

MOTOLINÍA: Y me alegro de ello. Vos, en cambio, acabaréis obispo.

LAS CASAS: Paz, hermano Toribio, paz. Todos somos unos infelices misioneros. 15

MOTOLINÍA: ¡Ah, pero yo . . . !

LAS CASAS (*Cortándolo*): De acuerdo. Vos sois el más infeliz de todos: Motolinía. Hermano Martín, avisad . . .

MARTINCILLO: ¿Y desde cuándo dejé de ser Martincillo y tú para vos? 20

LAS CASAS: Perdona. Martincillo, avisa a Fray Juan que estamos aquí. ¿O no está en casa?

MARTINCILLO: Hace un instante estaba a punto de excomulgar al gremio de los sastres. Ahora debe de estar orando. 25

LAS CASAS (*Bonachón*): ¡Silencio, mala lengua! Anda a ver.

Martincillo sale por la derecha. Motolinía se envuelve en un silencio hostil. Las Casas sonríe.

LAS CASAS: Vamos, mi hermano Motolinía, no me guardéis rencor. Demasiado poco nos vemos para desperdiciarlo regañando. 30

MOTOLINÍA: Primero me agredís, y luego se os olvida.

LAS CASAS: Ha de ser porque tengo buen estómago: digiero en seguida las ofensas que hago. Y es cosa difícil, pero eso mismo os prueba que hablo sin veneno y para vuestro bien.
5 Perdonadme. (*Motolinía no responde, aunque asiente en silencio.*) Me han dicho que escribís un libro. ¿Es verdad?

MOTOLINÍA: Es vanidad. ¿Qué os importa eso a vos?

LAS CASAS (*Paciente, como con un niño*): Temo que habléis mal de mí en él, si me detestáis como se murmura.

10 MOTOLINÍA: ¿Yo? ¿Detestar yo a nadie? Ni al sapo mismo, ni a la rana en su charca, ni a . . .

LAS CASAS: Nunca creeré que sois pobre de sentimientos. Detestadme, pero decidme cómo intitularáis vuestra crónica.

MOTOLINÍA (*Vencido*): Solamente *Historia de los Indios de la Nueva*
15 *España.*[30] Me propongo referir en ella todas las maravillas que hemos descubierto aquí, pero no la daré por terminada hasta que hayamos convertido y salvado al último indio de esta generación. Aprendo la lengua y formo vocabularios con mis frailes y alumnos. Es un largo trabajo, pero es satisfactorio.

20 LAS CASAS: La capacidad de aprender es la prueba más clara de la existencia de Dios en el hombre. Si alguien me hubiera dicho que yo aprendería las lenguas de los naturales lo bastante para orar en ellas . . .

Entra por la izquierda Fray Martín de Valencia, el jefe
25 *original de los doce misioneros franciscanos, que lleva el hábito de los observantes. Es mayor que los otros y está ya consumido por la penitencia, la vigilia y el sacrificio de sí, pero todo lo que queda de él es fuego puro, cercano ya a no ser más que luz.*

30 FRAY MARTÍN DE VALENCIA: Me agrada veros así, hermanos. ¿No regañáis ya como antes?

LAS CASAS (*Levantándose*): ¡Martín de Valencia! Yo os hacía camino de España.

MOTOLINÍA (*Mismo juego*): ¡Fray Martín!

Los tres se abrazan.

FRAY MARTÍN DE VALENCIA: Y yo a vos en Puerto de Plata. Camino de España estoy, aunque es posible que llegue antes a otra ribera. 5

LAS CASAS: ¡Vamos! ¿Quién piensa en morir con tanto quehacer como tenemos en estas tierras?

FRAY MARTÍN DE VALENCIA: Nadie elige su límite ni su hora. Y no morir sería una actitud de cismático.

Se sientan los tres. 10

LAS CASAS: Sin embargo, tengo la impresión de que en España muere uno cuando Dios quiere, y aquí cuando uno elige. Esto es como otro planeta. Id primero a España, pero luego volved aquí.

FRAY MARTÍN DE VALENCIA: Sí que iré a España para que todos 15 estos horrores terminen. He enviado emisarios al Rey, pero el Rey no contesta.

LAS CASAS: Yo también espero saber pronto de él. Nuño de Guzmán ha ido demasiado lejos en el pillaje y en el crimen.[35] Por Dios vivo, os juro que acabaremos con estos conquis- 20 tadores que tienen hipo de oro.

FRAY MARTÍN DE VALENCIA: A menudo he pensado si no es un error predicar la pobreza al indio en un país tan rico, mientras los españoles se apoderan de todo.

MOTOLINÍA: Hay que educar al indio ante todo, que es nuestro 25 hijo.

LAS CASAS: Nuestro igual, nuestro igual. Tan racional como nosotros.

FRAY MARTÍN DE VALENCIA: Y quizá más aún, porque su razón le ha permitido hasta hoy vivir sin adorar a Dios, cuando la 30 nuestra nos lo impediría.

Regresa Martincillo.

LAS CASAS: ¿Está orando el Obispo, Martincillo?

MARTINCILLO: ¡Fray Martín de Valencia, Dios os guarde! Está paseando, señor Prior Las Casas. Está paseando de un lado a otro como una fiera enjaulada. Quise hablarle y me ha
5 enviado a todos los diablos.

FRAY MARTÍN DE VALENCIA: No puede ser. Fray Juan no es capaz de desearos ese daño.

MARTINCILLO: Lo hace para orar y pedir perdón después. Cree que si no peca no puede ser redimido. (*Las Casas ríe; Motolinía*
10 *lo mira con reproche; Fray Martín de Valencia mueve la cabeza con una débil sonrisa.*) Lo que me preocupa es que hace días que no está en sí. No duerme, no come, parece estar en pena desde que mandó los emisarios a buscaros a todos, hermanos.

FRAY MARTÍN DE VALENCIA: ¿Qué puede ocurrirle? Me aflige
15 esta noticia.

MOTOLINÍA: Yo estoy más cerca de él que vosotros, y sé que tiene graves preocupaciones.

LAS CASAS: ¿Qué queréis que le ocurra? Lo mismo que a todos nosotros: el desaliento a veces, la cólera contra los soldados,
20 los justicias y los mercaderes de España — las matanzas, las plagas que hacen presa en los indios . . .

MOTOLINÍA: ¡Oh, y la restauración de Tenochtitlán! La llaga más dolorosa de la familia indígena. Yo sé lo que sufre.

MARTINCILLO: Pero todo eso se calla por bien sabido, hermanos.
25 Esta vez es cosa diferente. Os apuesto . . .

FRAY MARTÍN DE VALENCIA: ¿Apostar?

LAS CASAS: Tenéis alma de soldado, Martincillo.

MARTINCILLO: El obispo me llama leguleyo y el prior soldado, vamos bien. Y bien que me apuesta mi obispo a mí. Pero hablo en
30 sentido figurado. ¿Qué puede apostar un franciscano que no pasará de lego sino su hábito, y eso para mejor cumplir con las reglas de la Orden quedándose desnudo? Pero, ¿quién le

aceptará la apuesta? Como tendría que apostar mi hábito, si quisiera apuesta, y se me prohibe apostarlo, me desquito apostando sin apuesta, y sin apostar os apuesto a que se trata de otra cosa.

Las Casas: Martincillo, eres el espíritu menos religioso que he visto, pero tienes gracia. 5

Martincillo: El consuelo de la fea.[50]

Entra Fray Juan, seguido por Pedro de Gante.

Fray Juan: ¡Charlatán! Siempre os encuentro hablando, aunque sea con vuestra sombra. ¿Cuándo callaréis? 10

Martincillo: En cuanto queráis obligarme a hablar, señor Obispo.

Fray Juan: Saludad a Fray Pedro y luego idos a . . .

Martincillo: ¿Otra vez a todos los . . . ?

Fray Juan: Idos a la puerta, y cuando lleguen nuestros hermanos 15 Don Vasco y Sahagún hacedlos entrar aquí y procurad que nadie nos interrumpa. Y no escuchéis a la puerta, o habrá castigo a pan y agua. (*Martincillo va a protestar.*) ¡Hablad, os lo mando!

Martincillo: Me . . . me callo. (*Sale.*) 20

Las Casas: Cayó en su propia trampa.

Motolinía: ¡Alma de Dios!

Fray Juan: ¿Qué haría yo sin él?

Abraza, uno por uno, a los frailes. Pedro de Gante lo imita. 25

Fray Juan: Sentaos, hermano. Ya he ordenado que se os prepare un refrigerio. Y ahora quiero daros a todos las gracias por haber acudido a mi llamado.

Fray Martín de Valencia: Nos veis llenos de la más honda preocupación por vos, Fray Juan. Todos tenemos el mismo 30 trabajo, pero vos tenéis más dificultades, que van aparejadas a vuestro rango del primer Obispo de la Nueva España.

FRAY JUAN: Os juro que preferiría yo ser Martincillo.

LAS CASAS: ¿Cómo es eso? ¿Tan mal anda vuestro estómago?

MOTOLINÍA: ¿Desmayáis acaso, vos?

Simultáneamente

PEDRO DE GANTE: No desmayará, que es vasco. Pero yo lo comprendo bien, y por una vez en mi vida querría ser el rey para hacer en Nueva España lo que debe hacerse.

FRAY JUAN: ¿Desmayar? ¿Lo preguntáis vos, Fray Toribio? Construimos colegios en Tlaxcallan y en Tlatelolco, convertimos a diario a centenares de indios — ¡bendígalos Dios! —, y estoy seguro de que nuestra gran tarea no encuentra obstáculo en el natural de esta tierra. Pero empiezo a creer que el demonio habita en España y que el demonio es español.

LAS CASAS: ¿Lo decís como vasco?

FRAY JUAN: Lo digo como obispo. Todos habéis observado ya cuánto se asemejan los ritos paganos de estos gentiles a los de nuestra Iglesia, salvando el punto de la fe en el Dios verdadero, y el sacrificio humano.

Se abre la puerta izquierda.

MARTINCILLO (*Anunciando*): Don Vasco de Quiroga (*Fray Juan se vuelve con un gesto airado*) . . . y yo . . . me marcho.

FRAY JUAN (*Levantándose y abrazando a Don Vasco*): Bienvenido.

Saludos apropiados.

DON VASCO: Interrumpí. Decíais . . .

FRAY JUAN: Iba a decir que más que nuestros ritos y los paganos se asemeja el conquistador español a la plaga de la viruela[51] y a Camaxtle y a Huitzilopoxtli.[52]

PEDRO DE GANTE: ¿Podéis pronunciar vos esos nombres? A mí el flamenco me lo enreda todo. Nunca llegaré a lengua.

DON VASCO: Os oí desde la entrada, y tiene razón Pedro de Gante. Es difícil el náhuatl, pero el tarasco es insondable. Todas las voces tienen tes y zedas combinadas, y para un español es imposible hablar en ese galimatías. ¿Podéis decir Tzintzuntzan?[53]

PEDRO DE GANTE: En realidad, Fray Juan, excusad mi aparente impertinencia. Os veo agitado y afligido y quise calmaros un poco.

FRAY JUAN: No era levedad, lo sé. Y aunque el español no nació para lengua, os juro que primero aprenderá todas las del mundo que cambiará su carácter. Eso es lo que me desespera.

DON VASCO: Pero no nos habéis convocado para tratar de algo que todos sabemos y sufrimos, Fray Juan. El tono de vuestra misiva era demasiado grave.

LAS CASAS: Por eso vine yo también desde tan lejos. Hablad.

MOTOLINÍA: Descargad vuestro pecho en nosotros, Fray Juan.

FRAY MARTÍN DE VALENCIA: Decid si podemos ayudaros y en qué.

PEDRO DE GANTE: Podéis contar conmigo para todo, lo sabéis.

Pausa. Todos se instalan, menos Fray Juan, que permanece de pie. Mientras él habla se entreabre una vez más la puerta para dar acceso a Fray Bernardino de Sahagún.

FRAY JUAN: Os he llamado a todos, hermanos — especialmente a vos, Fray Pedro — para preguntaros quién soy. (*Todos se miran, extrañados.*) ¿Quién soy, os pregunto? ¿Soy el primer Obispo de la Nueva España por la gracia de Dios y del Papa? ¿O soy el último lacayo adulador de mi rey? ¿Soy el pastor sobre quien pesa el deber de salvar a las almas de este hemisferio? ¿Soy, a la manera de San Pedro, la piedra angular de esta Iglesia? ¿O soy un mercenario? ¿Soy un hombre de fe o un descreído?

Después de otra pausa llena de extrañeza, todos contestan como en una letanía, reflejo de la disciplina eclesiástica, con un poco de deformación profesional.

MOTOLINÍA: Sois Fray Juan de Zumárraga.

FRAY MARTÍN DE VALENCIA: Sois un hombre de fe.

LAS CASAS: Sois el Obispo de la Nueva España.

DON VASCO: Sois la piedra angular de esta nueva Iglesia.

5 PEDRO DE GANTE: Sois el pastor de almas de este hemisferio.

LAS CASAS: Sois nuestro jefe.

FRAY MARTÍN DE VALENCIA: Sois nuestro apoyo.

MOTOLINÍA: Sois nuestra esperanza.

PEDRO DE GANTE: Sois nuestro inspirador.

10 DON VASCO: Sois nuestro guía.

FRAY BERNARDINO DE SAHAGÚN (*Muy dulcemente*): Sois un obispo que quiere decirnos algo, y todos esperamos que lo digáis, hermano.

Al escuchar su voz, todos los demás se vuelven. Abrazos
15 *presurosos en silencio.*

FRAY JUAN: Gracias, Fray Bernardino. Quiero deciros que ha llegado para mí el gran momento de prueba, hermanos. Voy a pedir dispensa al Papa nuestro señor para renunciar a esta diócesis y retirarme a un convento de reformados en Italia o
20 de recoletos en Francia.

Simultáneamente:

FRAY MARTÍN DE VALENCIA: ¿Qué decís, Fray Juan?

MOTOLINÍA: ¡San Francisco nos valga!

DON VASCO: ¡Alabado sea Dios!

25 PEDRO DE GANTE: ¿Habéis perdido la cabeza?

LAS CASAS: ¿Qué diantres significa esto?

SAHAGÚN: Hacéis historia, estoy seguro, pero la historia hay que contarla con claridad, con sencillez y con detalle. Os
30 escuchamos.

Fray Juan: Voy a explicároslo todo, hermanos, pero antes debo pediros vuestra promesa más solemne, vuestro juramento por la fe incluso, de que nunca diréis una palabra de lo que aquí hemos de tratar, y de guardar silencio para el mundo y para la historia toda la vida y toda la muerte. (*La extrañeza de todos llega a un nivel culminante. Juran, después de mirarse, haciendo la señal de la cruz y musitando la palabra:* "*Juro.*") Gracias, hermanos. Ahora, venid conmigo. (*Se dirige a la ventana.*) Asomad y decidme qué veis en ese patio. 5

Las Casas (*El primero en la acción*): Veo un hombre vestido de marrón. 10

Motolinía: Un seglar.

Fray Martín de Valencia: Se inclina sobre un macizo de verdura.

Pedro de Gante: A fe mía, parece un jardinero. 15

Fray Juan: Es un jardinero venido de Murcia. Pero, os digo, ved más lejos, allá, al fondo.

Don Vasco (*Después de esforzar la vista*): No puedo creerlo.

Las Casas: ¿Una monja?

Fray Juan: Una monja de la Segunda Orden. Una monja de Santa Clara.[54] 20

Motolinía: La primera que viene a Nueva España.

Fray Juan: La primera.

Fray Martín de Valencia: Las hermanas clarisas podrían ayudarnos mucho en efecto, pero . . . 25

Las Casas: ¡Ah, no! Medrados estaremos si las mujeres empiezan a meter mano en el calvario de la evangelización. ¡Ah, no!

Pedro de Gante: Creo que sí podrían servir de mucho.

Fray Juan: No ésta.

Sahagún: ¿Para qué ha venido entonces? ¿Quién la envía? 30

Fray Juan se aparta de la ventana.

FRAY JUAN: Sentaos, hermanos. Debo informaros de lo que ocurre.

Mientras todos se sientan, Fray Juan va a las dos puertas para cerciorarse de que nadie escucha. Permanece de pie y se concentra antes de hablar. Todos esperan en un silencio que empieza a hacerse inquietante.

FRAY JUAN: No os recordaré, hermanos, los motivos que hicieron venir a las Indias a cada uno de nosotros. No os recordaré lo que antes atrajeron al capitán Cortés y a sus aventureros en guisa de soldados, y luego a los lucreros, a los justicias, a los mercaderes y demás plaga inficionante de España y de México. Fray Juan de Zumárraga, primer Obispo de la Nueva España, vuestro pequeño y pobre hermano Juan, tampoco os recordará que franciscanos, dominicos y religiosos de otras órdenes fuimos traídos a estas tierras por el soplo de Dios para sembrar en ellas su esencia y hacer sonar su nombre entre los naturales, por la simple razón de que ése es en el mundo nuestro trabajo de todos los días. Tampoco os hablaré de la codicia, del afán de rapiña y de señorío del español, contra quien batallamos a diario, ni de las violaciones a los mandamientos divinos ni de la miscigeneración, ni de la destrucción ni del horror. Os diré sólo esto: en apariencia nuestra labor no ha servido de nada.

El indio huye de nosotros y el español es — no doy con otra expresión — incorruptible por el bien, ay. El campeón de la fe cristiana en el mundo, que se ha enfrentado al propio Papa, nuestro señor rey y emperador — ay — parece haber tomado por su cuenta los asuntos espirituales de la Iglesia a ejemplo y usanza del propio Martín Lutero. Así es como los extremos se tocan, hermanos, y, luterano de quintaesencia, Carlos V me ha enviado, por emisario de boca, una orden que mis convicciones más arraigadas, mi sentido de lo que debe ser la Iglesia en el tiempo moderno me constriñen a no obedecer. Yo creo en la Iglesia como en un hecho fundado en almas y en piedra. Creo en Dios como en una realidad absoluta, porque Dios es el sentido común y la razón supremos. Y creo que nuestra tarea en la Nueva España consiste en hacer que los infelices naturales, idólatras por fatalidad, toquen a Dios mismo para tocar en El la fe y la razón y el sentido común que nos explican la existencia de Dios, que nos gritan la igualdad ante Dios de todos los seres que El ha creado. ¿Qué me ordena Carlos V, hermanos, no sólo luterano sino preluterano amamantado por la loba de la penumbra de pasados siglos?[55] Que haga yo un milagro. (*Movimiento general.*) Que me sustituya a Dios Nuestro Señor y que haga aparecerse a una virgen que tenga una apariencia mexicana. (*Exclamaciones y signos de cruz.*) Y esto, ¿para qué? Para dar al fin al español el señorío definitivo, para privar a todas luces al indio de toda luz y de toda esperanza, para que el indio se someta si se lo deja libre de adorar a una virgen suya. Y no sólo eso, que tan grave es ya, sino para soliviantar a la Iglesia Católica misma, pues mientras más crea el mexicano en una virgen india, más se apartará de la Iglesia de Cristo, y así la fusión de dos pueblos y de dos razas no se consumará nunca. El indio tendrá a su virgen; el español tendrá a su Iglesia y a Cristo, y se ahondará y se prolongará sin fin la distancia entre los dos, aumentada la angustia por la nueva lucha entre dos credos — ¿qué diferencia puede haber entre los ídolos y una virgen artificial? — y por la nueva matanza sin piedad que sobrevendrá sin remedio. Y para que la falibilidad del infeliz obispo no eche a perder el plan imperial, se me manda un jardinero de Murcia cuya tarea será hacer florecer rosales en campo yermo, y una monja clarisa que pasará por la supuesta virgen porque tiene alucinaciones y visiones y está loca de atar. Por esto mi decisión de deponerme y de retirarme a la paz monástica. Pero mido la profundidad de la situación, comprendo la importancia de todo esto, su peso en la salvación definitiva del inocente indio a quien debemos apartar de sus dioses de piedra, lavar de su impiedad, sacar de su oscuridad y de su error y conducir al mundo pío y luminoso de Jesús. Y por eso he querido consultar con vosotros antes de obrar. Porque vosotros, que trabajáis con el alma y con el espíritu, me diréis qué debo hacer — no en cuanto a mi decisión de retirarme, que está tomada después de una larga consulta con Dios, sino en cuanto a la forma de impedir que prospere esta idea que llamaría diabólica si

estuviéramos en otra edad, pero que llamo abominablemente luterana en la nuestra. Porque hay que pensar y que tener presente que al retirarme yo, el Emperador mandará un nuevo Obispo, un obispo laico quizá, para cumplir sus
5 órdenes, para que los rosales florezcan en el yermo y para que la Madre de Dios deje de ser la Madre de la humanidad y sea sólo el símbolo del indio condenado a perecer. Mi razón y mi escolástica se rebelan contra todo esto, pero quiero saber que no estoy solo, que cuento con vuestra fraternidad espiritual
10 en la lucha que me apresto a acometer contra el Emperador. Y lucho, hermanos, lo digo con la brutal franqueza vasca, más que por la fe, por el sentido común y por la inteligencia y por el raciocinio, que son como la roca tarpeya[56] de donde la fe se deja caer para volar e iluminar al mundo.

15 SAHAGÚN: No es posible. ¡Una Tonantzin, ay![57] El retroceso de la historia.

LAS CASAS: La resurrección de toda la idolatría indígena.

FRAY JUAN: La anulación de todos nuestros esfuerzos por preservar al ser de razón entre los indios.

20 PEDRO DE GANTE: ¡La recaída en una edad periclitada, bárbara a su manera! Yo solía pensar en Carlos como en un monarca moderno — iluminado por la Razón Divina.

FRAY JUAN: ¿No decís nada vos, Fray Martín de Valencia?

FRAY MARTÍN DE VALENCIA: No sé — no sé qué decir en verdad.
25 Preferiría oiros antes a todos. ¿Fray Toribio?

MOTOLINÍA (*Pensativo*): Yo no sé tampoco qué decir. Así, de pronto, la sacudida es ruda y desquiciante, y siento en mí un estremecimiento y un vértigo, como si la Iglesia se hundiera. Y a la vez, sin embargo, pienso posible que la idea no sea tan
30 blasfema como estima Fray Juan.

FRAY JUAN: ¿Qué decís, hermano?

MOTOLINÍA: Perdonadme. No he podido menos que relacionar . . . Digo que, como lo sabéis, he pensado siempre en la necesidad de organizar representaciones sacras[58] para apresurar la evangelización de nuestros hermanos indios: la tentación y caída de Adán y Eva, la Conquista de Rodas y la de Jerusalén para enseñar al indio cómo se abre paso la Cruz de Cristo en tierras infieles, las propias predicaciones de nuestro jefe San Francisco a las aves... Nos ayudaría tanto eso a cumplir con nuestra misión y tarea santa... 5

FRAY JUAN: Os apartáis de...

SAHAGÚN: Perdón, temo que no ha dicho todavía todo lo que piensa nuestro hermano.

MOTOLINÍA: No pude evitarlo, Fray Juan: mientras hablábais, me apareció lo que decíais como una suerte de auto o misterio sacramental que podría ser útil a la fe, y... 10

LAS CASAS: ¡Absurdo, como todo lo de Motolinía! (*Subraya la voz nahoa con sarcasmo.*)

MOTOLINÍA: ¡Oh, hermano, duro sois! Los de mi Orden comprenderán que pienso sobre todo en la fe y... no sé bien, quizás en unas como a modo de *Florecillas* en acción...[59] 15

LAS CASAS: El pobrecito siempre. Pero vos no sois el de Asís, Fray Toribio.

MOTOLINÍA (*Dolido*): ¡Prior Las Casas! 20

FRAY JUAN: Tregua de disputas, os lo ruego. ¿Don Vasco?

DON VASCO: A fe mía, Fray Juan, yo soy un hombre práctico. Quizás estoy más cerca de la naturaleza que de las cosas del espíritu. Por eso considero esto más bien como un experimento de siembra y de cultivo para poner a prueba la bondad de la tierra. ¿No podría esto ayudarnos a comprobar si el indio puede en verdad ser fértil de espíritu? En rigor no lo sabemos hasta ahora. Sus ídolos destruidos parecen proyectar todavía una gran sombra de la que ellos como que no quieren salir, pensando quizá que los protege contra España. 25 30

PEDRO DE GANTE (*Que habrá estado sumido en honda reflexión*): Sí. Un retorno indudable y oscuro a viejas impiedades. Sí. Pero siento algo, hermanos. (*Adelantándose, sin saberlo, a Galileo nonato.)*[60] Y sin embargo, bajo la corteza repelante, esto vive, se mueve . . . se mueve en mí de un modo tal que parece como si el fondo de la idea no fuera maléfico.

FRAY JUAN: Ya nos habéis oído, Fray Martín. ¿Qué pensáis?

5 FRAY MARTÍN DE VALENCIA: Pienso, ante todo, que no podéis retiraros de esta diócesis, porque es el destino que os ha trazado el Señor. Que no podéis, como no puede ninguno de nosotros, abandonar al indio ni dar la espalda a la esperanza de salvar al indio. La voz de Dios es más fuerte que la del 10 Emperador y Rey.

FRAY JUAN: La voz de Dios es la voz de mi razón y de mi conciencia, Fray Martín, y mi razón y mi conciencia me ordenan . . .

FRAY MARTÍN DE VALENCIA: Perdón. Cuando llegué, Fray Juan, 15 dije a nuestros hermanos que voy a España a ver al Rey, a quien he enviado emisarios en vano, como vos, para que ponga un término a todos los horrores que vemos consumarse a diario aquí. Y tenéis razón, Las Casas, no puedo morir en esta tierra prodigiosa mientras quede un indio natural que 20 padezca los infortunios de la dominación española. Soy viejo, y los viejos somos — Dios me perdone — a la manera de aquella deidad profana del latino que miraba a la vez hacia atrás y hacia adelante.[61] Veo al mismo tiempo vuestras razones y las comprendo, y veo y comprendo las de Sahagún 25 y Gante y Las Casas, y oigo al hermano Toribio y a Don Vasco y creo que los comprendo también. No sé si esto es una aflicción o una bendición, una blasfemia o un acto de Dios. Pero sé una cosa: sé que este mundo de oscuridad y de angustia que habitamos tendrá que recibir la luz y que volverse 30 habitable para el hombre, porque Dios sabe — ¿quién si no El? — que el hombre no pidió ser creado y que sólo espera haberlo sido para algún objeto benéfico y alto y luminoso, y que si la especie sobrevive es para que acabe la raza de Caín, para que reine el bien. Y me pregunto si esta 35 acción, desmesurada, convengo en ello, del Emperador no es una respuesta a nuestros ruegos, una tentativa de ayudar a los naturales de acuerdo con los principios de la Iglesia.

FRAY JUAN (*Dolorido y angustiado — y obstinado*): ¿Caben el fraude y el engaño y la impostura acaso en ellos? ¿Pueden sentarse al lado de Dios Todopoderoso? Si es una respuesta a nuestros ruegos, no es la que mi razón esperaba. No. Sabemos que "ya no quiere el Redentor del Mundo que se hagan milagros, porque no son menester, pues está nuestra Santa Fe tan fundada por millares de milagros como tenemos en el Testamento Viejo y Nuevo."[62] ¿Y lo quiere Carlos? 5 10

FRAY MARTÍN DE VALENCIA: Eso puede valer, en efecto y razón, para los pueblos que adoran a Dios hace siglos. No para estos naturales, ay. Y no neguemos, hermano Obispo, la necesidad de los milagros. Sois erasmista, lo sé bien; pero el propio tratadista que citáis añade que "la vida perfecta de un cristiano es continuado milagro en la tierra." ¿No queremos acaso esa perfección milagrosa para el indio? ¿Y sabemos si no es ésta la vía? ¿Sabemos siquiera por qué y cuándo y cómo empieza un milagro? Todo lo que sabemos es que no termina. 15

FRAY JUAN: ¿Y no es Dios acaso quien me da la razón que se opone a esto? 20

FRAY MARTÍN DE VALENCIA: Sé, sabemos, que sois recto y limpio, inflexible en vuestras convicciones, insobornable en vuestra fe. Pero no sé si esto hay que verlo más bien con los ojos del alma que con los de la razón y con el corazón mejor que con la cabeza. Un poco, si queréis, como los niños lo verían. 25

FRAY JUAN: Para mí son una sola cosa, Fray Martín, y no podrían existir separados: son sílabas de la misma palabra, y corazón quiere decir sentimiento pero dice razón también. No puedo renunciar a mi criterio. 30

FRAY MARTÍN DE VALENCIA: ¿No es la renunciación el fundamento, el primer acto del cristiano?

FRAY JUAN: No la renunciación de Dios.

FRAY MARTÍN DE VALENCIA: Detened. ¿Renunciáis acaso a Dios o a su Idea por mostrar un camino desviado hacia El a aquel que no puede, que no sabe seguir el camino directo? ¿Mentís cuando decís al enfermo incurable que parte de esta vida, que 5 la vida lo espera? Cierto que no lo sabéis, pero lo creéis. Y todos los caminos, largos o cortos, llevan a Dios. ¿Qué pueden importarle a El los errores de los reyes o de los hombres? Los deja cometerlos porque es un derecho que les concedió para que puedan salvarse rectificándolos, pero El mantiene 10 siempre en su sitio el fiel de la balanza.

LAS CASAS: Claro. ¿Dejo yo acaso de creer en Dios porque otros lleguen a creer en El? Pero seamos sinceros. A mí me heriría profundamente que Dios salvara a los conquistadores, y esto que se fragua parece el medio de hacerlo.

15 FRAY MARTÍN DE VALENCIA: ¿No son también sus hijos?

FRAY JUAN: He ahí justamente, hermano, lo que me confirma mejor en mi razón. He ahí con lo que cuenta el Emperador, con lo que cuenta cada soldado español empezado por Cortés: la insondable mansedumbre franciscana, la dulzura 20 del Pobrecito de Asís con el propio lobo.[63] Pero la fiera que se nos presenta ahora viene del infierno y de la Antigüedad pagana, de la propia idolatría de los naturales que debemos destruir. ¡Ah, no, el misionero no está hecho de alfeñique, hermanos, ni es un niño que juega con las cosas santas! 25 Si algún soldado necesitó nunca un alma de acero bien templado, una voz clara y firme y un puño fuerte para blandir el látigo de Cristo, es el misionero. ¿Qué decís, Las Casas?

LAS CASAS: En lo escolástico, en lo moral, en lo político, estoy con vos, Fray Juan. Ya es hora de que nos rehusemos a hacer el 30 juego de los conquistadores y a bendecir las armas con que matan y a prometer el paraíso al indio que muere de mala muerte.

FRAY MARTÍN DE VALENCIA: En eso tenéis razón, hermano Bartolomé. Ya es hora de que tratemos de dar el paraíso al 35 hombre en el mundo y no sólo en el más allá. Es enseñando a hacer el bien como se lo damos.

FRAY JUAN: Fray Toribio hablaba de un auto sacramental . . .

LAS CASAS: Disparate y levedad, insisto. Profanidad pura.

FRAY JUAN: . . . perdón. Como si al modo de los paganos antiguos pudiéramos dar al indio un poco de pan y un poco de circo y salvar así nuestras almas.[64] 5

MOTOLINÍA: No hablé en ese sentido, Fray Juan, creedme, os ruego. No cambiaría el alma de un indio por las de diez españoles. Yo también estoy listo para blandir la espada contra el soldado y el látigo contra el mercenario, pero encuentro que es nuestro deber intentarlo todo, y que la bondad del fin que 10 perseguimos no está en contra del medio que se nos propone.

FRAY JUAN: ¡Medio impío! ¡Irracional!

SAHAGÚN: Así es como se entienden siempre las cosas: Fray Juan nos habla de la firmeza del misionero, y Fray Toribio demuestra que puede ser firme . . . contra Fray Juan o su 15 opinión.

FRAY MARTÍN DE VALENCIA: Yo no diría impío, hermano. Medio quizás imperfecto, limitado y falible, como humano, pero que no puede tocar de lejos ni de cerca a la Divinidad.

SAHAGÚN: Pero, además, pensemos esto: hay los ídolos que aparta- 20 ban de Dios al indio. ¿Qué mal puede haber en un ídolo que lo lleve a Dios? ¿Qué importa mientras la historia y nosotros sepamos que es un ídolo?

PEDRO DE GANTE: En efecto. Creer que un árbol puede ser Dios no altera la esencia de Dios. 25

FRAY MARTÍN DE VALENCIA: Vamos, Dios existe aun para los que no creen en El.

MOTOLINÍA: Si su Entidad no pierde con la duda, ¿cómo va a perder con la fe?

FRAY JUAN: ¡Ah, un momento! Nuestra sombra misma, nuestra 30 duda — la mía ahora — es obra de Dios.

DON VASCO: Yo no puedo discutir de teología con vosotros. Para mí, la representación de Dios está en la tierra que debe alimentar al hombre, y me siento obligado a probar todo abono para saber si puede dar producto.

5 PEDRO DE GANTE: Perdonad, pero hay otra cosa. Todo esto que hablamos me da una idea. ¡Hay tanto que pensar en ello! Pero sé, siento que esta cuestión tiene un trasfondo que no hemos tocado.

FRAY MARTÍN DE VALENCIA: Yo creo que sí lo hemos tocado, Fray 10 Pedro: es la convicción fundamental de que debemos hacer todo lo que sea en bien de nuestra fe, aunque los medios parezcan a veces . . . heterodoxos.

PEDRO DE GANTE (*Flamenco, lento, con peso pero sin pomposidad*): ¿Habéis pensado una cosa, hermanos? Si esa infición, esa 15 plaga inficionante y maligna que es la Reforma llegara a apoderarse de Europa entera, si triunfaran las fuerzas oscuras de Lutero, ¿qué sería de nuestra Iglesia?

LAS CASAS: Creo que os veo venir, Pedro, pero lo que más importa aquí es . . .

20 PEDRO DE GANTE: Por favor. ¿No sería entonces por modo natural esta bendita tierra de la Nueva España el sagrario o sede de nuestra Santa Madre la Iglesia, la Nueva Tierra Santa, la Nueva Roma?

LAS CASAS: ¡Por mi hábito que adiviné que eso era! Pero creo que 25 es ir demasiado lejos. No en vano es Roma la Ciudad Eterna de la Fe desde hace siglos; pero, sobre todo, conservemos los pies puestos en *esta* tierra.

PEDRO DE GANTE: Entiendo, pero ¿no os parece que por sólo esa posibilidad, quizá no tan remota, es digna de estudiarse 30 la idea del Emperador?

LAS CASAS: De acuerdo. Pensemos también en lo que apunta Fray Pedro. Vale la pena, porque todo lo que ayude en México a la fe es arma contra el bárbaro demonio conquistador.

FRAY MARTÍN DE VALENCIA (*Iluminado y arrebatado*): Es verdad. ¿No se ha dicho que el Paraíso terrenal estuvo situado en estas latitudes? ¡Ah, si ésta pudiera ser la Nueva Casa del Señor por el medio que nos proponen!

SAHAGÚN: No veo la menor posibilidad de una cosa así en el orden . . . histórico, digamos. 5

FRAY JUAN: Seguir el método *ab absurdo* es racional, pero anticipar el triunfo de Lutero sobre Roma es un exceso de imaginación. Volvamos a esta tierra, como decía Las Casas, y a vuestro hermano Juan y su dilema. 10

LAS CASAS: Os decía que estoy con vos y en todo lo que estoy con vos, Zumárraga. Pero he estado pensando que quizás esto puede darle al indio un arma espiritual contra el español. Lamento que la idea no saliera de un indio enterado en la leyenda de la Tonantzin;[57] pero, claro, claro: a pobre indio, 15 virgen india. No está mal. Por eso creo que no hay que precipitarnos, porque esto es un a modo de Camino de Damasco, veis.[65]

FRAY JUAN: No os entiendo.

LAS CASAS: ¿Conocéis esas tierras? Si Saulo hubiera salido de otra 20 ciudad con las cartas del Sumo Sacerdote para la Sinagoga, y una misión de muerte, quizá no habría tenido tiempo de convertirse. Pero el camino de Jerusalén a Damasco es largo aunque Damasco parece a menudo estar a corta distancia, pero en realidad está lejos y . . . 25

PEDRO DE GANTE: Os ruego. Tocáis allí un milagro de la fe incomparable con esto que tratamos.

LAS CASAS: Bien tocasteis vos el triunfo de Lutero y lo demás. Es porque creo que debemos también seguir un camino largo para examinar este asunto, hermano, aun cuando el de la 30 discusión se alargue igualmente. Yo camino, camino, y empiezo a ver, sin que esto influya en mis convicciones, que la intención del Emperador puede tenerse por no sacrílega.

PEDRO DE GANTE: Debo protestar. Nada tuvo que ver la conversión de San Pablo con la extensión del camino, y la Visión le apareció ya cerca de Damasco.

LAS CASAS: Yo estoy convencido de que la Visión salió de Jerusalén
5 con él y lo acompañó todo el camino. Dios estaba ya en él, pero Saulo necesitaba tiempo para verlo, como cualquier hombre — y Dios le dio ese tiempo en la larga jornada, y sólo cuando llegaba al final de ella se operó el prodigio exteriormente. Si el viaje hubiera sido más corto . . .

10 FRAY MARTÍN DE VALENCIA: Os acercáis peligrosamente al error y a la blasfemia, hermano.

LAS CASAS: Perdonad, no lo creo. Dios creó el tiempo, como todo, y sabe cuánto necesita a menudo el hombre para ver la luz. Repito, en todo caso, mi proposición de que caminemos más
15 largo antes de . . .

FRAY JUAN: ¿Y creéis que no he seguido yo un larguísimo camino de reflexión, hermano? Quiero pediros sólo que no nos apartemos del problema inmediato, de lo que he decidido hacer, del consejo que requiero de vosotros. ¿Fray Bernardino?

20 SAHAGÚN: De un modo u otro haréis historia, Fray Juan. ¿Qué es el hombre sino historia? Pero tened cuidado: siempre hay dos formas de hacer historia, y bien podéis hacer la de la dispersión de la fe en México si os retiráis ahora y dejáis el campo a los soldados. Cuando veo lo que padece el pobre indio, pienso
25 que cualquier cosa que le demos para fortalecer su fe es buena, y ésa es la otra manera de hacer historia. No os retiréis. ¿Teméis que os reproche el indio . . . ?

FRAY JUAN: Temo sólo a Dios y a mi conciencia, que me dicen que esto es un grave delito — un fraude de la fe, del alma y de
30 la razón. La mía no puede justificar la intención de Carlos.

SAHAGÚN: Pero, ¿se trata en realidad de razón? Ya lo dijo Fray Martín. ¿Acaso los hermanos legos y los frailes menores que no pueden ir a la universidad y que vegetan en pueblos y aldeas, no modifican a veces, esto es, no simplifican los sagrados textos para hacerlos comprender mejor a sus ignaros fieles y aun para comprenderlos ellos mismos? ¿No españolizan el latín a menudo, no . . . ?

FRAY JUAN: Ese es el peor delito que puede cometer un sacerdote. La verdad de Dios debe ser difícil de adquirir, debe costar trabajo, porque tiene que adquirirse como es, no simplificada, no . . . masticada. 5

MARTÍN DE VALENCIA: En cuanto a eso, os aseguro que hay un estado de gracia que disipa todo error.

PEDRO DE GANTE: Claro, pero emana del cielo, no del Rey. A pesar de todo, permitid, Fray Juan, que examinemos la cosa desde otro ángulo, desde el ángulo de . . . la representación, como diría Fray Toribio. Supongamos por un momento que acatáis la orden regia. ¿Cómo lo haríais? 10

SAHAGÚN: Buena idea, que nos permitirá ver los obstáculos. 15

FRAY JUAN: Las imposibilidades.

LAS CASAS: Y las posibilidades. Ese es el camino largo de que hablaba yo. ¿Qué perdemos?

FRAY MARTÍN DE VALENCIA: Siempre ganaríamos algo. Dios es ganancia para el hombre siempre. 20

MOTOLINÍA: ¿Aceptáis, Fray Juan?

FRAY JUAN (*Después de una pausa nerviosa en que se oprime las manos con la vista en alto*): Sea. Yo sé que lo he examinado todo, pero hablad, hermanos.

MOTOLINÍA: Ante todo, necesitamos el tinglado primero. Supongamos . . . ¿Puedo preguntar cuáles son las instrucciones en detalle, Fray Juan? 25

FRAY JUAN (*Con un esfuerzo enorme*): Hacer crecer rosas en un lugar yermo y hacer aparecer en él a la clarisa.

PEDRO DE GANTE: ¡No en un templo, espero! 30

FRAY JUAN: En un yermo, dije.

MOTOLINÍA: ¡Cuidado! Será preciso escoger un lugar que no haya sido antes de culto idolátrico, que aquí abundan.

FRAY JUAN: No. Ya he pensado en el único que podría ser, aunque . . .

5 MOTOLINÍA (*Con dulzura pero con firmeza*): Nada os escapa. ¿Y después?

FRAY JUAN (*Siempre renuente y endurecido*): Hacer aparecer a la . . . visión, digamos, en una fecha solemne, susceptible de impresionar por sí, y hablar con un natural previamente escogido.

10 LAS CASAS: Un momento. Resuelto lo de las rosas, ¿entenderá el castellano ese indio?

SAHAGÚN: ¿O hablará en náhuatl la hermana?

MOTOLINÍA: Puede enseñársele lo necesario a la una o al otro.

FRAY JUAN (*Sarcástico*): Sí. Por allí empezará a descubrirse la 15 impostura y a esparcirse el secreto. Os digo que lo he pensado todo.

MOTOLINÍA: Perdón, pero yo podría tomar a mi cargo el enseñar lo preciso a la clarisa. Y supongo que tenéis confianza en mí.

FRAY JUAN: La tengo. Pero, ¿y el indio?

20 LAS CASAS: El indio debe ser inocente de todo y recibir por sorpresa el mensaje y la aparición, es claro, si ha de creer en ellos.

SAHAGÚN: ¿Y cómo escogerlo entonces?

MOTOLINÍA: Quizás un escolar de Tlaxcallan o de Tlaltelolco . . .

25 PEDRO DE GANTE: No. Se pensaría en una maniobra si así fuera. Tiene razón Las Casas. Si llegara a hacerse esto, tendrá que ser un inocente absoluto.

FRAY JUAN: ¿Y quién lo encontrará?

FRAY MARTÍN DE VALENCIA: Cualquiera encontrará a cual-30 quiera. Para mí todos los indios son inocentes. ¿No tenéis fe, Fray Juan?

FRAY JUAN: Sólo en lo verdadero, Martín de Valencia.

FRAY MARTÍN DE VALENCIA: ¿Necesita de fe lo verdadero?

FRAY JUAN: Más que nada, ay. Si fuera fácil creer en la verdad, el mundo sería menos absurdo.

MOTOLINÍA (*Mismo juego*): Tenéis razón siempre. Pero . . . ¿podemos seguir adelante? (*Fray Juan inclina la cabeza no sin cierta repugnancia.*) En ese caso . . . 5

SAHAGÚN: Pero hablasteis de un mensaje, Fray Juan. ¿Os han enviado el texto?

DON VASCO: Si lo enviaron, quizá conviniera rehacerlo. Están muy lejos y allá no saben gran cosa de lo de aquí, y nosotros conocemos la tierra. 10

FRAY MARTÍN DE VALENCIA: Conocemos, es cierto, la palabra que debemos sembrar en los naturales. Como vos, Don Vasco, creo en la tierra y creo que no hay mejor tierra que el indio para nuestra semilla. 15

MOTOLINÍA: Entonces, supongamos, hermanos, que tenemos ya el lugar de la acción, el escenario, los personajes y el diálogo. Se aparecerá una virgen a un indio inocente y le dará un mensaje para salvación de su alma y del alma de todos los naturales, ¿no es así? ¿Qué hará el indio entonces? 20

LAS CASAS: Permitid: ¿una virgen a secas? No. El nombre del indio no importa, pero el de la Virgen . . . Yo quisiera saber . . .

DON VASCO: Justo. Perdón, Fray Juan, en vuestras instrucciones, ¿se nombra, se designa a una cierta virgen o no? 25

FRAY JUAN (*Después de una pausa destinada a reprimir su creciente impaciencia*): No entiendo por qué, pero se me hizo saber claramente que debía usarse el nombre de la Virgen de Extremadura.

FRAY MARTÍN DE VALENCIA: ¿La Guadalupe? ¡Ah, es una buena Virgen! Me alegro. 30

PEDRO DE GANTE: ¿Guadalupe? Sí, ya sé. Claro. (*Evocativo.*) Es morena. Sin duda por eso . . .

LAS CASAS (*Como Carlos V, sin saberlo*): Es una virgen guerrera, además, buena para la batalla espiritual del indio.

MOTOLINÍA: ¿No tiene su nombre algún engarce con las raíces moriscas, lo mismo que el Guadalquivir?

5 SAHAGÚN: Quizá porque ayudó en las batallas contra el moro.[41] Pero las montañas del centro de España son llamadas de Guadalupe,[66] y por la Virgen nombró así Colón a las dos islas que descubrió en las Indias Occidentales.[67]

MOTOLINÍA (*Reflexivo*): Es decir, ¿una Virgen que siendo española
10 sea a la vez mexicana? Esto resulta más difícil de entender para mí.

FRAY JUAN (*Rompiendo al fin su silencio y empezando a dar rienda suelta a su impaciencia*): Con vuestra venia. Como lo pensaba, os veo en esta plática alejar vuestros ojos del problema mismo y
15 olvidar . . .

MOTOLINÍA (*Mismo juego de dulzura y firmeza*): Sólo en apariencia. Los autos sacramentales, el teatro, en fin, suele alejar al hombre de sí mismo, Fray Juan, y lo hace olvidar el destino personal por el colectivo, la realidad por la ilusión. Por eso . . .

20 FRAY JUAN: Un momento, Fray Toribio, os ruego. Hermanos, por veros y partiéndoos en el barco de una idea que mi razón repugna todavía, os pido que aplacemos esta discusión. Yo no podría seguirla ahora, porque todo es dar vueltas dentro de un mismo círculo. Antes de ir más lejos, considero indispen-
25 sable rogaros que veáis de cerca a la hermana de la Orden de Santa Clara. Esto, creo, os mudará la opinión. Pero después podremos seguir hablando en todo caso.

FRAY MARTÍN DE VALENCIA: ¿Es decir que no aceptáis aún ni siquiera la posibilidad?

30 FRAY JUAN: Soy vasco, hermano, por si no tengo otra disculpa a vuestros ojos.[44] Pero vedla. Y si después de verla me decís, sabiendo que creo en vosotros como en mí mismo o más, que esto debe hacerse y que esto es bueno, entonces lo haré.

LAS CASAS: Me parece lo más procedente.

DON VASCO: Siempre es mejor saber quién arará el surco.

PEDRO DE GANTE: Estoy de acuerdo.

FRAY MARTÍN DE VALENCIA: Sobre todo, si nos lo pide Fray Juan, será mejor. Por todas las razones. 5

Fray Juan va a tirar del cordón de la campanilla cuando se abre bruscamente la puerta derecha y un indio joven, un tanto descompuesto, entra precipitadamente, empujado un sí es no es bruscamente por un franciscano que es el fraile del acto primero. 10

FRAY JUAN: Precisamente iba a haceros llamar, hermano Antonio. ¿Cómo es que entráis aquí sin . . . ?

EL FRAILE: Perdón os pido, Ilustrísima. Venía a deciros algo y aquí afuera encontré a este indio infeliz escuchando a la puerta. (*Lo empuja otra vez sin brusquedad, pero sin dulzura.*) 15 ¡Anda, explícate!

El indio joven, azorado, mira a todos los misioneros como si buscara un protector, un refugio.

FRAY JUAN: No le hagáis daño ni lo maltratéis, hermano.

EL FRAILE: Es que me exaspera su mezcla de pasividad y de 20 malicia. Escuchaba a la puerta como un demonio, y se deja hacer como un ángel.

FRAY JUAN: ¡Hermano Antonio! ¿Ignoráis lo que manda nuestra Orden?

EL FRAILE: Nunca lo había hecho, señor Obispo, pero éste me ha 25 sacado de quicio. No sé por qué. Será, como me dijo el Rey, que soy un inquisidor. Así me sentí.

FRAY JUAN: Ese viaje a España os ha cambiado, hermano. Os oiré en confesión mañana.

EL INDIO JOVEN (*Optando al fin por Fray Juan, se arrodilla a sus pies,* 30 *alza los ojos azorados hacia él*): ¡Tata, tata!

LAS CASAS: En caridad del Señor, Zumárraga, no le pongáis la mano sobre la cabeza, que así nos pintan ya.

FRAY JUAN: Cálmate, hijo, cálmate. Aquí estás seguro y a salvo. ¿Qué hacías allí afuera? (*Acompaña la pregunta de mímica. El indio joven sonríe ampliamente.*) ¿Por qué escuchabas? ¿Qué querías? ¿Me comprendes?

EL INDIO JOVEN: Tata, tata, ¡tata!

EL FRAILE: Es un idiota.

FRAY JUAN: Reprimíos, Antonio.

MOTOLINÍA: No habla español todavía el inocente.

LAS CASAS: Y éstos también, hermano . . . Antonio, ¿no es eso? han de pensarnos idiotas a nosotros porque no hablamos lo suyo.

FRAY MARTÍN DE VALENCIA: ¿Qué importa que no hable nuestra lengua? Llamó tata al Obispo. En su conciencia reconoce al padre de su alma.

FRAY JUAN: Eso es lo que me dice que podemos salvarlos a todos: su instinto de bien. Fray Toribio, ved si podéis entenderlo algo y así sabemos qué buscaba.

Motolinía se acerca al indio joven, lo toma suave y persuasivamente por un brazo y lo hace levantar y lo lleva hacia el fondo izquierda. En ese momento aparece, muy agitado, Martincillo.

MARTINCILLO: ¿En dónde se ha metido ese indio de mis pecados?

FRAY JUAN: ¡Ah, aquí estáis al fin! ¿Dónde andabais y qué hacíais, que dejáis pasar a este pobre indio hasta aquí? ¿No os dije que no quería interrupciones? Me faltan las palabras para . . .

MARTINCILLO: ¡Vaya si me lo dijisteis, señor Obispo! Pero . . . ¿No tenéis palabras? Entonces, lo que ocurre es que soy un remiso, un omiso, un descuidado, un distraído, un tonto de capirote o un loco de la cabeza, y . . .

FRAY JUAN: Basta. Ya no tengo nombres que daros. ¿Por qué lo dejasteis pasar?

MARTINCILLO: ¡Dejarlo! ¿Yo? ¡Quiá, señor! Lo que pasa es que mientras yo daba un poco de pan y quería contarles un cuentecillo a sus compañeros, él se coló sin que lo notara. 5

FRAY JUAN: ¿Podéis explicar por qué?

MARTINCILLO: Nada más fácil, señor. Ya sabéis que todos ellos quieren siempre ver al Obispo. ¿Tengo la culpa yo?

MOTOLINÍA (*Acercándose*): Dice justo Martincillo, Fray Juan. En lo que he podido entenderle al inocente, quería nada más ver al 10 tata Obispo.

FRAY JUAN: Lleváoslo, hermano Martín, aseguraos esta vez de que se marcha, y dadle algo antes. Y no volváis a ser todo lo que habéis dicho o yo le pediré luces al Señor para encontraros otros nombres mejores. 15

Un tanto corrido, pero mal tapando la risa, Martincillo toma por el brazo al indio joven y sale con él.

FRAY JUAN: ¡Sea por Dios!

EL FRAILE: Señor Obispo, yo venía a . . .

FRAY JUAN: Sí. Hermanos, Fray Antonio es el último mensajero 20 que mandé a España al Cardenal para que éste lo llevara con el Rey. Y me trajo la respuesta del monarca. ¿Queréis repetirla, hermano?

EL FRAILE (*Con graduada amargura*): Su Majestad estaba ocupado y prefirió oir primero al emisario de Cortés. Su Majestad me 25 hizo el honor de desconocer mi hábito y de hablarme con dureza. Su Majestad dijo al fin que iba a meditarlo. Que respondería más tarde al llamado. Su Eminencia me aconsejó esperar. Volví al fin con la carta que escribió al señor Obispo. 30

FRAY JUAN: No hay que tomar las cosas de ese modo, Fray Antonio.

EL FRAILE: Perdón. Y que San Francisco me perdone, porque he pensado desde entonces si no erré el camino, y si no me fuera mejor ser soldado del Rey y no de Cristo. ¡Me sentí tan inútil, Ilustrísima!

5 FRAY JUAN: Basta. Franciscano sin humildad no es franciscano. El Rey respondió como sabéis ya todos, hermanos. Fray Antonio, quería pediros que acompañarais hasta aquí a la hermana clarisa. Debo presentarla a los Reverendos Padres.

EL FRAILE: De ella quería hablaros, señor Obispo. Está . . . no
10 sé, en una suerte de trance, como si algo invisible la poseyera.

LAS CASAS: ¿Violenta?

EL FRAILE: Al contrario — está como si no estuviera aquí — o como si otros y yo no estuviéramos cerca de ella.

FRAY MARTÍN DE VALENCIA: ¿En éxtasis quizás?

15 EL FRAILE: No sé, padre. No me da esa idea.

FRAY JUAN: ¿Creéis que podrá venir hasta aquí?

EL FRAILE: Si logro que me oiga.

FRAY JUAN: Estoy cierto de que os oirá. Traedla luego. Con dulzura, hermano. La esperamos.

20 *El fraile se inclina levemente y sale.*

LAS CASAS: Este hermano, decidme, vuelve casi de España, ¿no?

FRAY JUAN: Hizo el viaje con la hermana y con Alonso de Murcia, el jardinero.

25 FRAY MARTÍN DE VALENCIA: ¿Y está enterado en las instrucciones . . . ?

FRAY JUAN: No lo creo. No creo que el Rey o el Cardenal hayan creído necesario informarlo de nada. Y eso me hace pensar que siente que hay algo que no sabe, y que se amarga por
30 ello.

PEDRO DE GANTE: Pero dijisteis que os enviaron un mensajero de boca.

FRAY JUAN: No fue él, que era uno de los mejores hermanos y ahora, tan cambiado, me hace temer por su salud eterna.

DON VASCO: Me ocurre que quizá podríamos ver a la hermana uno por uno, para no alarmarla. 5

MOTOLINÍA: Quizá se desconcertará al encontrarnos aquí a todos . . . ¿No pensáis . . . ?

FRAY JUAN: Prefiero no pensar ya muchas cosas, hermano. Será una prueba para ella, y la busco así porque eso os permitirá 10 abarcar todo lo que he querido deciros. Pero lo busqué así porque también será una prueba para vosotros, hermanos. Soy franco.

FRAY MARTÍN DE VALENCIA: Dios hace siempre sus caminos en nosotros, Fray Juan. Sin pico ni pala.[68] 15

Se escucha un breve, categórico golpe en la puerta.

FRAY JUAN: Adelante.

Se abre la puerta y aparece el fraile, solo.

FRAY JUAN (*A Fray Martín de Valencia*): El os liga, hermano· (*Al fraile.*) ¿La hermana? 20

EL FRAILE: Me sigue, Ilustrísima. A su paso. Al paso del Arcángel, al paso de la Virgen, que marchan siempre al paso de Dios, dice.

FRAY JUAN: ¿Está lo mismo?

EL FRAILE (*Alzando los ojos al cielo*): ¿Trance o éxtasis? No lo sé, 25 no lo entiendo. Quizá he perdido la Gracia de Dios.

FRAY JUAN: De eso hablaremos. En cuanto entre aquí, me haréis favor de cerrar la puerta y de retiraros en penitencia hasta mañana.

EL FRAILE: Eso me hará bien, Ilustrísima. 30

FRAY JUAN: Gracias, hermano Antonio.

Calla, como si se recogiera en sí mismo, aunque parece contener el impulso de decir algo más. Los misioneros se miran, irguiéndose un poco en sus asientos. Fray Martín hace 5 *ademán de levantarse.*

FRAY JUAN: No, no. Sentaos. Os lo ruego.

Fray Martín de Valencia vuelve a acomodarse. Todas las miradas se fijan al fin en la puerta abierta, en el lado exterior de cuyo umbral permanece el fraile. Fray Juan 10 *recorre con la vista a todos sus colegas. Se nota que quisiera hablar, pero, ¿no está ya dicho todo? Al fin, como ellos, pone sus ojos en el límite de la entrada. Un instante después, el fraile se hace a un lado y retrocede.*

EL FRAILE: La hermana llega, Ilustrísima.

15 *Sobre el grupo solemne, silencioso y expectante de varones sin par, a la vez que entra de golpe la luz de la luna llena, cae, rápido, el*

TELON

Acto tercero
LA CORONA

Personas

FRAY JUAN DE ZUMÁRRAGA
FRAY MARTÍN (MARTINCILLO)
FRAY TORIBIO DE BENAVENTE (MOTOLINÍA)
JUAN PRIMERO
JUAN SEGUNDO
JUAN TERCERO
JUAN CUARTO (JUAN DARÍO)
EL FRAILE (FRAY ANTONIO)
EL JARDINERO ALONSO DE MURCIA
LA MONJA CLARISA
UN MENSAJERO DE CORTÉS (UN ALFÉREZ)

La acción en México, la mañana del 12 de diciembre de 1531.

La escena en el despacho del Obispo Zumárraga en el edificio del Obispado de México, más avanzada ya su construcción que en el segundo acto.

Mañana sombría, cielo lleno de nubarrones. La oscuridad ambiente aumentará durante el curso del acto, despejándose repentinamente, como por efecto de un relámpago, en la 5 *culminación de la comedia — que es la revelación de Zumárraga — para terminar bajo un deslumbrador sol cenital.*

Sentado ante su mesa, Fray Juan de Zumárraga escribe, interrumpiéndose para consultar notas y uno o dos libros de cuentas. Algo lo incomoda. Se levanta y va a la ventana. Mira hacia afuera un momento. El aire frío lo estremece, y mueve lentamente la cabeza de un lado a otro. Se abre la puerta y entra, sin llamar, nuestro hermano Martincillo.

FRAY JUAN (*Sin volverse*): Mal tiempo tenemos esta mañana.

MARTINCILLO: ¿Qué decís, señor Obispo? En esta tierra no hay mal tiempo nunca. Mirad qué belleza de luz de mañana; como que se trata del Nuevo Mundo. Y qué cielo azul de este día de diciembre. No le falta más que el sol y las estrellas para ser perfecto.

FRAY JUAN (*Siempre sin volverse*): Ah, impenitente charlatán que sois. Pero hoy sí hace frío.

MOTOLINÍA (*Entrando*): Más de lo que es de uso en este clima por estos días, Fray Juan. Veo que el hermano Martín se olvidó de mí — como siempre.

MARTINCILLO (*Santiguándose*): En el nombre del Señor, perdonad, Fray Toribio. Parece que le gusta que éste su siervo sea distraído.

FRAY JUAN (*Volviéndose con los brazos abiertos*): Bienvenido. Y doblemente por cuanto no esperado, Fray Toribio. Hermano Martín, a los charlatanes y los distraídos no es Dios quien los hace. Dejadnos antes de que os riña. Nuestro hermano os perdonará, que yo no.

MOTOLINÍA: No tiene monta, Fray Juan. Es verdad que he llegado a creer que el hermano Martín se indianiza y me considera, como los naturales, un pobrecito. Se lo agradezco.

MARTINCILLO: No lo permita el cielo, Fray Toribio. Vuestra pobreza es un verdadero tesoro, y yo . . . (*Mirada de Fray*

Juan, nublosa como la mañana) . . . y yo me vuelvo a mis quehaceres, que hartos son. (*Sale.*)

FRAY JUAN: En fin, ahora podemos hablar sin el testimonio de este ángel simple de mis pecados, que Dios me ha mandado para castigarlos. ¿Qué os trae hoy a la ciudad, Fray Toribio? 5

MOTOLINÍA: Dijisteis que no me esperabais, Fray Juan. Sin embargo, yo pensé que acudía a vuestro llamado.

FRAY JUAN: ¿Cómo?

MOTOLINÍA: Me dijeron ayer en Tlaltelolco que queríais verme.

FRAY JUAN (*Reflexiona*): No lo entiendo. Quizá el hermano Martín, 10 que me ve preocupado por tantas cosas, pensó que vuestra presencia me aliviaría. El es así y discurre más de la cuenta.

MOTOLINÍA (*Sonriendo*): Quizás. Otra prueba de lo mucho que os quiere.

FRAY JUAN: Con razón dicen que el amor es cuidado. No se 15 lo preguntemos, en todo caso, porque hablará de más como suele. ¿Quién os dio el mensaje?

MOTOLINÍA: Algún indio de la ciudad lo trasmitió a uno de mis estudiantes.

FRAY JUAN: Es extraño, Toribio. Se supone que nuestra educación 20 religiosa nos lleva al conocimiento de Dios. Pero, ¿nos lleva realmente al conocimiento de los hombres, sobre todo si esos hombres son los indios encadenados todavía al paganismo?

MOTOLINÍA: Yo pienso que sí. Yo pienso que todos nos encon- 25 tramos en la adoración de Dios.

FRAY JUAN: No sois un simple, hermano Motolinía. Sabéis de sobra que nuestros — ay — hermanos los conquistadores y los encomenderos se encuentran y se reúnen en la adoración del diablo. Del oro, diría nuestro hermano Las Casas, que 30 os ama porque os critica.

MOTOLINÍA: Ese dominico de mis pecados . . . Le deseo que llegue a santo, aunque temo que no lo perdonarán los españoles.

FRAY JUAN: ¿No os volvéis nunca contra alguna pared para gritar algunas malas palabras? Es bueno para la salud, sabéis. Cuando llegasteis escribía yo a España. Tengo, hermano Toribio, una impresión dolorosa, permanente como una llaga: no hacemos lo bastante por el indio, somos falibles y somos débiles. Y esta tierra tan vieja, tan nueva para nosotros, tiene en sus entrañas algo más que oro y plata y tepuzque. Me parece a veces como un enorme vientre preñado que va a dar a luz un día algo que allá Carlos y su corte no entienden ni prevén. Que quizá nosotros mismos no prevemos ni entendemos.

MOTOLINÍA: En eso estoy de acuerdo. He sentido a menudo que nuestro hijo el natural, cuando nos mira y nos da su sonrisa — que no es taimada, sino humilde —, es más bien nuestro padre o nuestro abuelo.

FRAY JUAN: Eso es: que está más cerca del principio del mundo que nosotros. Escribo a España, pues, para hablar de todo esto. En nuestro ejercicio tenemos que orar mucho y que trabajar mucho. No tenemos tiempo de reflexión, ocio de pensamiento. Pero a veces — ahora mismo antes de que llegarais me ocurrió — no puedo eludir la reflexión, y entonces pienso que este cielo nublado, que este aire frío y duro y lacerante, que nos hiere a todos, es como una protesta de la tierra contra nuestra presencia aquí.

MOTOLINÍA: ¡Fray Juan! ¿Cómo podéis pensar así, dudar de que Dios Nuestro Señor mismo nos haya enviado a México para el bien y la felicidad de los naturales de Nueva España? ¿Vos, nuestro Obispo?

FRAY JUAN: ¿Creéis acaso que somos primavera para ellos? ¿Y no habéis pensado, como yo, que no somos nosotros los que testimoniamos la presencia de Dios, que El no nos necesita para llevar a cabo sus divinos designios, que no somos más que polvo brevemente iluminado? ¿Vos, el más pobrecito de todos?

MOTOLINÍA (*Herido*): No sé qué os ocurre, Fray Juan.

Fray Juan: Yo no me encierro, hermano, en vocabularios y trabajos de la inteligencia, que son buenos y útiles y nobles y que ayudan a matar a nuestro enemigo el diablo tiempo. Hago frente a trabajos vivos y duros y difíciles — combatir plagas, reprimir blasfemas ambiciones en los hombres de espada y de calidad y Audiencia, tratar de unir al pobrecito rebaño de infieles bajo el signo de la Cruz. Pero a veces siento — hoy más que nunca — que no puedo nada — que todos, indios y españoles, estamos a la orilla de un abismo, y que si las cosas siguen así, los ejemplos de la historia cambiarán. Que no se dirá ya sólo Nínive y Babilonia, Sodoma y Gomorra,[69] sino que se añadirá a España y a México.

Motolinía: Permitid mi protesta, hermano Obispo. Lo que importa es la idea de Dios.

Fray Juan: Dios no es idea, hermano. Es cuerpo, es sangre, es espíritu, es razón, es aire vivo — y aquí el aire no está vivo ni es limpio, aunque ésta sea la región en que los ojos reciben más su transparencia. En fin, comeréis conmigo y veremos cosas. He pensado mucho en vuestra idea de hacer autos sacramentales, y puedo deciros que . . . (*Se abre la puerta. Asoma Martincillo.*) ¿Qué pasa ahora en este molino?

Martincillo: Lo siento mucho, mi señor Obispo. Juro que lo siento. Pero allí está otra vez.

Fray Juan: Hermano Martín, me echáis en cara a menudo el ser vasco. Así pues, conocéis también el límite de mi paciencia. No me hagáis jurar. ¿Quién está allí otra vez?

Martincillo: El indio, Ilustrísima.

Fray Juan: Extraordinaria cosa: el único indio de esta tierra sin duda, según lo decís.

Martincillo: No, señor. El indio de las visiones. Ese que viene una vez por semana a lo menos para contarnos que habla con los santos cuando no con los ídolos.

Fray Juan: Dadle algo de comer y algo que llevar a los suyos, y que vuelva cuando tenga otra visión.

MARTINCILLO: No se puede, señor Obispo.

FRAY JUAN: ¿Cómo?

MARTINCILLO: Está empeñado en veros, y en su lengua, que ya entiendo bastante aunque no podré hablarla nunca, alabado
5 sea Dios, dice que ya la tuvo y dice que va a sentar sus reales en vuestra antecámara hasta que lo veáis.

FRAY JUAN: ¿Que ya tuvo qué?

MARTINCILLO: La nueva visión.

MOTOLINÍA: Sea por Dios, Fray Juan.

10 FRAY JUAN: ¿Cómo se llama? ¡Y no vayáis a preguntarme quién!

MOTOLINÍA: Juan.

FRAY JUAN: Me lo merezco. Hacedlo entrar, hermano.

MARTINCILLO: No es culpa mía si se llaman todos como vos y no como Fray Toribio o como yo.

15 MOTOLINÍA: En el fondo, ellos son los que nos bautizan a nosotros, creo. (*Sonríe.*) En secreto.

Sale el hermano Martincillo. Fray Juan pasea; Motolinía se ajusta el hábito, y mira sus manos con una vaga sonrisa de comisura a comisura. Entra Martincillo con Juan primero.

20 JUAN PRIMERO (*Besa la mano de Fray Juan, luego la mano de Motolinía*): Juan . . . Juan . . . Juan.

FRAY JUAN: ¿Qué se te ofrece, Juan?

JUAN PRIMERO (*Toma por un brazo a Martincillo y le habla con urgencia al oído*): . . .

25 FRAY JUAN: ¿Qué dice, en fin?

MARTINCILLO: No entiendo todo, señor Obispo, pero creo que esta mañana vio una luz (*Juan primero asiente, reitera algo al oído de Martincillo*) . . . Vio una grande luz. Y esto, entre Vuecencia y yo, que se lo cuente a su abuela, que hoy hace nublado.
30 (*Juan primero le dice algo más al oído.*) Y quiere que el señor

Obispo le diga si esa luz es cosa de los españoles y de la Iglesia, o es que ya los ídolos anuncian su regreso.

FRAY JUAN (*Sonríe, mira al cielo*): Lleváoslo afuera, hermano, habladle largo como sabéis hacerlo vos, y decidle que la luz no puede hacerla más que Dios, el Dios único que nos trajo aquí para mostrarles la verdad y el Paraíso. Y sed elocuente, vamos. (*Su sonrisa se acentúa.*)

Juan primero entiende, sin la menor duda. Sonríe ampliamente. Besa la mano de Fray Juan, la mano de Motolinía y se dirige hacia la puerta con Martincillo.

FRAY JUAN (*Con brusco buen humor*): Ea, así les doy gusto a ambos y nos libramos de los dos. (*Motolinía sonríe, pero la sonrisa de Fray Juan se desvanece al volverse a la puerta, donde Juan primero habla otra vez con tono urgente al oído de Martincillo. Con impaciencia*): Y ahora, ¿qué?

MARTINCILLO (*Excusándose con un gesto un tanto exagerado de inocencia*): Eso ya no lo entiendo, Ilustrísima. Algo de voz, algo de flor . . . (*Interroga por mímica a Juan primero, éste le señala la puerta y los dos salen. Fray Juan y Motolinía ríen brevemente, pero vuelven a ponerse serios en cuanto ven regresar a Martincillo con Juan primero y Juan segundo, indio un poco más joven que el otro.*)

FRAY JUAN: ¿Qué significa . . . ?

MARTINCILLO (*Mismo gesto exagerado de inocencia*): Este otro, Ilustrísima, trae otra historia. Dice que vio la luz y que oyó voces.

FRAY JUAN: Que se limpie las orejas y que nos deje en paz, ¡vamos! Tengo otras preocupaciones que . . .

MOTOLINÍA: Perdón, Fray Juan, pero quizás haya una relación entre esa luz y esas voces. Podemos tratar de averiguar . . .

FRAY JUAN: Temo, Fray Toribio, que la conquista no les ha dejado ya a estos infelices hijos nuestros más que la imaginación. ¡Si vierais el número de estas cosas que yo veo!

MOTOLINÍA: Permitid. Haced por preguntarles, hermano Martín, de algún modo, dónde vieron lo que vieron y qué fue exactamente.

MARTINCILLO: No es irreverencia, Fray Toribio, pero eso está muy difícil. ¿No podría Su Paternidad, que hace vocabularios . . . ?

MOTOLINÍA: Entre nosotros quede: Mi pronunciación es . . . más pobre que yo, vamos. Esforzaos, hermano.

Martincillo se prepara a hacer un interrogatorio mímico en grande, pero Juan segundo comprende el español bastante bien, señala con su mano derecha por sobre su hombro hacia atrás, que es el norte, y dice:

JUAN SEGUNDO: Tepeyácatl.

FRAY JUAN: Y eso, ¿qué es?

MOTOLINÍA: No sé bien. He oído el nombre. Algún cerro — hacia el norte, si no me equivoco, muy después de Tlaltelolco.

FRAY JUAN: Decidles que todo es obra de Dios, hermano Martín, que se tranquilicen y oren un poco. Y dadles algo.

Juan primero y Juan segundo dicen algo entre ellos, moviendo negativamente la cabeza. Motolinía presta el oído. Salen los dos indios con Martincillo.

MOTOLINÍA: Espero que la noticia que voy a daros no os haga mala sangre, Fray Juan. Ya sabéis que entiendo bien la lengua nahoa y la otomí. Lo que estos inocentes acaban de decirse es que van a quedarse en vuestra antecámara, que no quieren irse, que no se irán.

FRAY JUAN: ¡Vamos! Con la paciencia a la chinesca de esta raza, se quedarán indefinidamente. Más de una vez he pensado que se parecen también un poco al árabe infiel, que se queda las horas muertas en el atrio de su mezquita. (*Toca una campanilla.*) Son un poco a la manera de la mosca de fines de verano, perdóneme Dios.

MOTOLINÍA: ¿No será que han perdido el impulso de moverse y de volar — por culpa nuestra quizá, como decíais?

FRAY JUAN: ¿Ya os ponéis de acuerdo? Lo celebro. (*Entra Martincillo.*) ¿Se fueron?

MARTINCILLO: No, señor Obispo. Y no se irán. Hablan todo el tiempo entre ellos y se han sentado en el suelo como en un estrado. 5

FRAY JUAN: Sea por Dios. Ofrecedles algún refrigerio. Y, ya que estáis aquí, decidme, hermano Martín — pero en pocas palabras —: ¿sois vos quien se permitió convocar aquí hoy a Fray Toribio? Y si así fue, ¿por qué razón, con qué objeto, con qué autoridad y con qué derecho? Decid pronto. 10

MARTINCILLO: Perdón — pero eso no lo entiendo. Si me dejáis un punto para pensar, señor Obispo . . . (*Fray Juan alza los ojos al cielo.*) 15

FRAY JUAN: Os va a tomar tiempo, que no tenéis práctica, hermano.

MOTOLINÍA: Fray Juan, sois duro.

FRAY JUAN: No más que conmigo mismo, Fray Toribio, no os preocupe. 20

MARTINCILLO: ¡Ah, ahora sí está claro todo!

FRAY JUAN: Veamos.

MARTINCILLO: Yo no tengo ni razón, ni objeto, ni autoridad ni derecho para permitirme convocar a Fray Toribio. Así, es claro que si lo hice fue porque vos me lo ordenasteis — ea. 25

FRAY JUAN: ¿Cuándo?

MARTINCILLO: Perdonad. (*Se vuelve de espaldas, se levanta, bastante alto, el hábito y busca afanosamente haciendo púdicas contorsiones, pues al tratar de usar las dos manos en la búsqueda los faldones del hábito se le caen y tiene que volver a levantarlos. Fray Juan y Motolinía se vuelven a opuestos extremos para no mirarse sonreir.*) ¡Ah, aquí estamos! (*Se vuelve de frente y hojea un libro de pequeñas propor-* 30 *ciones, encuadernado con cuero sin curtir. Sus superiores se vuelven a él mientras hojea el libro hacia atrás.*) Eso es — sí — estaba yo dispuesto a apostar (*Fray Juan carraspea enérgicamente*) pero sólo conmigo, que tenía yo razón. (*Lee*): "Recordar a 5 Fray Juan que se acuerde de convocar a Fray Toribio para lo de la representación." (*Suspira con alivio.*)

FRAY JUAN: ¿Y en qué fecha inscribisteis esa nota, hermano Martín?

MARTINCILLO (*Atragantándose un poco*): Pues el . . . el . . . veintiocho 10 de . . .

FRAY JUAN: Decid la verdad ya.

MARTINCILLO: El veintiocho de octubre, señor Obispo.

FRAY JUAN: El veintiocho de octubre. Ah. ¿Y qué fecha es hoy, hermano Martín?

15 MARTINCILLO: Pues . . . es la fiesta de Santa Constancia, de San . . .

FRAY JUAN: ¿Qué fecha?

MARTINCILLO: Doce de diciembre, señor.

FRAY JUAN (*Haciendo un rápido cálculo*): Es decir que hace cuarenta 20 y seis días del Señor que anotasteis que debíais recordarme algo. ¡Cuarenta y seis días (*Estallando al fin*) y jamás me recordasteis nada! Si servís a Dios como a mí, pocas esperanzas tenéis de llegar al Paraíso. ¿Por qué no me lo recordasteis?

25 MOTOLINÍA: Vamos, Fray Juan. ¿Qué importa?

MARTINCILLO: Lo olvidé, señor Obispo. Esa es mi desgracia, Fray Toribio: en cuanto apunto algo, luego se me olvida.

FRAY JUAN: Pero, en fin, convocasteis a Fray Toribio, después de todo.

30 MARTINCILLO (*Humilde*): Sí.

FRAY JUAN (*Exasperado*): ¿Cuándo?

MARTINCILLO (*Lo más de prisa que puede*): Pues veréis, Fray Juan. Anteayer tuve que anotar otra cosa que no recuerdo ya tampoco, y siempre que anoto algo leo lo que anoté antes. Entonces me di cuenta, y como uno de nuestros indios iba hacia Tlaltelolco, le pedí que diera el recado a Fray Toribio — y Fray Toribio vino, y todo se arregló bien. 5

FRAY JUAN: Es mejor que salgáis, hermano Martín — o no respondo de mí. (*Martincillo sale con celeridad.*)

MOTOLINÍA: No os irritéis, Fray Juan. Será para bien.

FRAY JUAN: Así lo espero. 10

MOTOLINÍA: ¿Y qué era eso de la representación?

FRAY JUAN (*Piensa un momento*): Pues . . . la verdad es que no recuerdo. Y me adelanto a decir lo que estáis pensando: castigo divino.

MOTOLINÍA: Dios me guarde. 15

Ríen breve, pero francamente.

FRAY JUAN: ¡Ah, claro! Lo que empecé a deciros antes sobre los autos sacramentales que tanto os . . .

Se oye, afuera, un rumor creciente de voces que hablan agitadamente en otomí o náhuatl. 20

Y ahora, Fray Toribio, ¿qué más pasa? Este bendito Obispado parece molino o tahona.

MARTINCILLO (*Entrando*): Perdón, señor Obispo — pero allí está otro.

FRAY JUAN: Otro *¿qué?* Habláis siempre en enigmas. 25

MARTINCILLO: Otro indio que se empeña en veros. Y yo no tengo la culpa.

FRAY JUAN: ¿Ha dicho qué desea, por qué tiene que hablar precisamente conmigo?

MARTINCILLO: Sólo que lo que tiene que decir es para orejas de Obispo y no de lego. Este chapurrea un poco el castellano. 30

FRAY JUAN: Tratad de trabajar así, Fray Toribio.

MOTOLINÍA: Os comprendo bien. Pero, ¿no son los pobrecitos nuestro principal trabajo?

MARTINCILLO (*Entre dientes*): Eso digo yo.

5 FRAY JUAN: Callad, que siempre os oigo. Y, en fin, haced entrar a este otro. También se llama Juan, ¿no? Otro ahijado. (*Motolinía sonríe.*) Y tenéis razón por supuesto, Fray Toribio: ellos son nuestro trabajo.

MARTINCILLO: Sólo que éste se llama Juan Felipe. (*Abre la puerta y*
10 *hace una seña hacia afuera.*) ¡Pst!

Entra Juan Felipe — Juan tercero, en evidente estado de agitación, y antes de que Martincillo pueda evitarlo, se cuelan de rondón Juan primero y Juan segundo, que permanecen, silenciosos y expectantes, adosados al fondo,
15 *mientras Juan tercero avanza hasta el centro.*

FRAY JUAN: Aquí me tienes, Juan Felipe. ¿Qué quieres, hijo mío?

JUAN TERCERO (*Sobreponiéndose con esfuerzo a su timidez y a su excitación*): Tata Obispo, tata Obispo — yo hallo xóchitl que hace sangre.
20 (*Tiende la mano derecha, abierta, en cuya palma enrojecida hay una flor. Motolinía se acerca. Fray Juan toma la flor y va a primer término derecha seguido por Motolinía. Los dos examinan la flor en silencio.*)

FRAY JUAN: ¿Veis lo mismo que yo, Fray Toribio?

25 MOTOLINÍA: Veo una rosa. No es flor de Tenochtitlán.

FRAY JUAN (*Reflexiona un instante. De pronto su rostro se ilumina. Se vuelve a Juan tercero*): Dime, Juan Felipe, ¿dónde encontraste esta . . . xóchitl?

JUAN TERCERO (*Sonríe*): Arriba — Tepeyácatl.

30 FRAY JUAN: ¿Entiendes bien lo que te pregunto? ¿Entiendes bien español?

JUAN TERCERO: Lengua de Dios — lengua de la Verdad.

FRAY JUAN (*Se vuelve, un sí es no es desamparado a Motolinía*): Quisiera claridad, hermano.

MOTOLINÍA: Permitid. (*Lleva a un lado a Juan tercero y lo interroga brevemente en voz baja, seguido por la mirada general. Vuelve ajustándose el hábito.*) Se expresó bien, Fray Juan: encontró esa rosa del lado del Tepeyácatl, más allá del cerro, más al norte. 5

FRAY JUAN: Un momento. (*Va a su mesa de trabajo; en el cajón busca y encuentra al fin un papel. Vuelve a primer término, cerca de Motolinía y fuera del alcance del oído de los demás, sobre todo de Martincillo, que lo observan con creciente curiosidad.*) Es inútil — lo sé por experiencia — discutir con estos indios, seres imaginativos, seres siempre en fuga de la realidad . . . hay que decirlo, Fray Toribio, de la realidad española que les imponemos. ¿Recordáis nuestra reunión con Las Casas y Gante y Sahagún y los demás, los preparativos que acordamos al fin para cumplir la blasfema orden del Emperador? 10 15

MOTOLINÍA (*Dilata los ojos*): El jardinero, Fray Juan . . .

FRAY JUAN: Que debía sembrar las rosas en otro lado — hacia el sur. El jardinero. (*No duda mucho.*) Hermano Martín. (*Lleno de una vaga aprensión, pese a todo su desenfado, Martincillo se acerca a Fray Juan.*) Hermano, haced venir aquí en seguida a Fray Antonio. Y que venga con él el jardinero Alonso de Murcia, pero que espere afuera. Y tapiaos los oídos y cortaos la lengua. Es importante, ¿entendéis? 20 25

MARTINCILLO: Illustrísima, ahora queréis un cadáver por familiar.

MOTOLINÍA: Hermano Martín, sed . . .

FRAY JUAN: ¡Hermano Martín!

Azorado, Martincillo sale. Los tres indios se repliegan al fondo. Con los ojos seguirán sin cesar a Fray Juan y a Motolinía tal como los fieles clavan la mirada en las imágenes del templo. 30

MOTOLINÍA: Os veo muy agitado, Fray Juan. ¿Qué pasa por vuestro ánimo?

FRAY JUAN (*Con lentitud*): Tengo aquí una minuta de aquella malhadada reunión, Fray Toribio. En ella me dejé convencer por los hombres que más respeto en el mundo y por lo único que puede convencerme: por el servicio de Dios por sobre las intrigas palaciegas y políticas.

MOTOLINÍA: Sé que hicisteis bien.

FRAY JUAN: He llamado a Fray Antonio, ¿lo recordáis sin duda? (*Motolinía asiente.*) Ignora el verdadero fondo del asunto y sólo le he dejado entender que se trata de una ceremonia parecida, como dijisteis vos entonces, a un auto sacramental. No sabe más. Pero tengo aquí una minuta que me dice que el jardinero Alonso de Murcia recibió órdenes — os juro que con los dolores reales de los indios y los problemas de su vida, había olvidado esta farsa . . .

MOTOLINÍA: ¡Hermano Juan! En primer lugar, sé que hicisteis bien en dejaros convencer.

FRAY JUAN: . . . este misterio o auto, si preferís — esta impostura para mi idea. El jardinero recibió órdenes de sembrar rosales en un lugar yermo, hacia el sur, que nombramos el pedregal de San Angel[70] — donde hace quizá siglos las fuerzas naturales de un volcán, movidas por los divinos designios, destruyeron la vida de incontables infieles.

MOTOLINÍA: Os aconsejaría serenaros.

FRAY JUAN: Y donde la piedra volcánica hace superflua toda posibilidad de siembra. Pero el jardinero se comprometió a lograrlo. Bien. Tengo aquí una minuta precisa y clara (*La exhibe*) — y en esta otra mano, Toribio de Benavente, tengo una rosa cortada hacia el norte, del lado del Tepeyácatl. ¿Qué puedo pensar?

MOTOLINÍA: Entiendo. Pero la oración es pensamiento, hermano.

FRAY JUAN: ¡Ah, no! No me digáis eso. Oro todas las horas de mi vida y en este instante mis propias entrañas están en oración. Y mis entrañas me dicen que la mano del hombre, cuando se mete con las cosas santas, debe ser cortada, quemada, dispersada en cenizas a los cuatro vientos. Dios es verdad y razón, y la impostura humana debe sufrir todas las penas, todos los . . .

Se abre la puerta un poco antes, y entra Fray Antonio seguido por Martincillo. 5

Martincillo: Fray Antonio, Ilustrísima.

Fray Juan (*Recobrando su compostura y dignidad*): Acercaos, Fray Antonio. (*El fraile obedece en silencio y espera.*) Os pedí, cuando llegaron nuestra hermana clarisa y el seor Alonso de Murcia, que les hicierais constante compañía y los instruyerais en 10 las cosas de Nueva España que no conocían. Los dos tienen tareas importantes que les ha encomendado nuestra Santa Iglesia, y tengo motivo para pensar que el jardinero no ha cumplido bien. ¿Sabéis si sale a menudo?

Fray Antonio: No me dijisteis que lo acompañara, Ilustrísima. 15 Sé que ha tenido que ir muchas veces a un punto camino del sur, que él nombra el Pedregal.

Fray Juan: Pero, ¿sale a otras partes, además?

Fray Antonio: No lo sé. Es seglar y como tal no tiene que seguir a la letra nuestras reglas, pero siempre ha regresado a tiempo 20 para la oración vespertina.

Fray Juan: Gracias. Os ruego que esperéis. (*Volviéndose a Martincillo, que permanece al fondo junto a los indios*): Haced entrar al jardinero, hermano.

Martincillo abre la puerta, se asoma y hace una señal 25 *hacia el exterior. Entra el jardinero. Los tres indios se aprietan en un grupo más cerrado, silencioso y observador.*

Fray Juan: Acercaos, seor Alonso.

Alonso (*Saludando en una rodilla y pidiendo la mano a besar*): Ilustrísimo señor . . . 30

Fray Juan: Levantad. (*Alonso obedece.*) Al llegar aquí, seor Alonso, nuestra autoridad os encomendó una tarea difícil para santos fines (*Alonso sonríe*) sabiendo que podríais cumplirla porque sois jardinero experimentado de Murcia, que es el vergel de España. ¿Cuál era esa tarea, seor Alonso?

ALONSO: Sembrar rosas, Ilustrísima, que es la flor más extraordinaria y majestuosa, la flor reina de las flores. Y sembrarla en un lugar desértico. Era un reto a mi capacidad de humilde jardinero, siervo ante todo de Dios y de su Iglesia.

FRAY JUAN: ¿Y la habéis cumplido?

ALONSO: Señor, que los rosales que han prendido como fuego en el yermo os lo confirmen. Enviad un emisario que os dirá del prodigio. No me jacto yo, no. Creo que esta tierra de Nueva España es buena para todas las siembras, pero han nacido las rosas más hermosas que he visto. Y en el yermo.

FRAY JUAN: ¿A qué llamáis el yermo?

ALONSO: A la latitud sureña que me indicasteis vos mismo, Ilustrísimo señor. Lo que estas buenas gentes de la meseta llaman el Pedregal.

FRAY JUAN: ¿Estáis seguro?

ALONSO: Como de la presencia sempiterna de Dios, señor.

MOTOLINÍA: Todos somos, en tanto que humanos, falibles, seor Alonso. Meditad bien vuestra respuesta.

ALONSO: No tengo nada que meditar, con perdón de Su Paternidad. Recibí órdenes y las cumplí como un soldado . . . de la jardinería si no de los ejércitos, pero como un soldado de Cristo.

FRAY JUAN (*Dolorosamente*): ¡Mentiroso!

ALONSO (*Herido*): ¡Ilustrísimo señor!

FRAY JUAN: Mentiroso, repito. Mentiroso. ¿Qué tengo aquí, qué veis en esta mano?

ALONSO (*Demudado*): Una rosa roja, señor, que se ha marchitado. Perdonadme: la muerte de una flor me hiere tanto como la de un cristiano.

FRAY JUAN (*Tajante*): Esta rosa, seor Alonso, como vos la llamáis, no viene, sin embargo, del Pedregal de San Angel. (*Alonso se turba grandemente.*) ¿Podéis decirme vos, sin mentir en Cristo, de dónde puede provenir?

ALONSO (*A la defensiva*): Juro que no lo sé, Ilustrísima. 5

MOTOLINÍA: Atención, Alonso. El juramento en vano es irredimible.

FRAY JUAN: ¿Había rosas en Tenochtitlán antes de que, por designios que no quiero mencionar ahora, os trajera a esta tierra un navío militar? ¿Había rosas? 10

ALONSO: No, señor. Estudié todos los huertos y jardines. No había rosas.

FRAY JUAN: Entonces explicadme cómo ésta que se muere en mi mano y os da tanto dolor, pudo venir a mí desde la ruta del norte, desde un punto que estos tres inocentes indios 15 llaman el Tepeyácatl.

Conturbado y atormentado, Alonso de Murcia parece atinar con la respuesta. Conciliábulo y movimiento entre los tres indios. Juan tercero se acerca a Motolinía y le habla al oído.

FRAY JUAN: Espero vuestra respuesta. 20

MOTOLINÍA: Permitidme, Ilustrísima, y vos, seor Alonso de Murcia. Estos indios habitan hacia el lado del Tepeyácatl, pero, me dicen, muy más allá del tepetl — esto es, del cerro. Están acordes en que han visto al seor Alonso rondar por ese paraje y visitar una cabaña de indios. (*Alonso hace ademán* 25 *de protestar.*) Es más: según este pobrecito Juan Felipe, la rosa que tenéis en la mano viene de allá.

ALONSO: ¡Mentira!

FRAY JUAN: Mi oración cotidiana de todas las horas es por qué Dios me permita ser benigno y ser justo, y conservar al 30 pecador vivo para su redención, pero nunca sacrificar una vida humana que no puedo rehacer con mis manos. Seor Alonso, no empujéis mi paciencia cristiana hasta el tribunal de la Inquisición.

MOTOLINÍA: Seor Alonso, pensad que la verdad es una flor más preciosa que las que vos sembráis y cultiváis y amáis tanto. Hablad, os lo ruego.

ALONSO (*Derrotado*): Muy bien entonces, Ilustrísima. Soy hombre
5 — soy criatura de Dios y del diablo. Sirvo altares y tengo apetitos. Mis apetitos me llevaron hasta una doncella india que habita más allá del Tepeyácatl, a dos leguas quizás. Una india que cree aún que los españoles somos como dioses, y que me pidió un a modo de milagro para
10 entregarse. En la puerta de su jacal sembré un rosal muy pequeño que floreció al mismo tiempo que florecía su vientre.

FRAY JUAN: ¿Y confesáis así esa promiscuidad, ese connubio, esa . . . ?

15 ALONSO: Señor, no me dejáis otra salida. Y como los soldados y como tantos otros, di a Nueva España otro español.

MOTOLINÍA: Que será indio sobre todo.

ALONSO: ¿Qué me importa si existe y nació de mí?

FRAY JUAN: Hombre sois de vuestro tiempo — de este tiempo
20 insensato, seor Alonso. Os veré en confesión y en juicio. No puedo nada contra esos conturbenios, pero haber sembrado rosas allí es cosa grave. ¿Quizá dejasteis mujer en España?

ALONSO: Sí, Ilustrísima — pero lo que soy de hombre vino aquí conmigo.

25 FRAY JUAN: Pecador miserable. Dios os perdone. ¿Sembrasteis más rosas, en otra parte? Que esta vez venga la verdad, o pagaréis la mentira.

ALONSO: Sólo en el Pedregal y en ese jacal de mi india, señor Obispo.

30 MOTOLINÍA: ¿Podéis jurarlo?

FRAY JUAN: ¿Estáis seguro de que en el Tepeyácatl mismo no . . . ?

Alonso: Por la vida del hijo que engendré aquí, por la vida de España que late en mí como sangre — por las flores, que son mi razón de ser, por las rosas, si queréis. No sembré más, lo juro.

Fray Juan pasea un poco. Mira la rosa que tiene en la mano y va hacia el balcón. Cierra la mano, aplasta la rosa y la deja caer y la pisotea. Se vuelve a Motolinía. 5

Fray Juan: Sois lengua o casi, hermano Toribio. Quiero que se vaya esta gente. Despedidla. Decidles que no ha pasado nada. Que ni Dios ni sus viejos ídolos muertos tienen que 10 ver con esta flor nueva, que es sólo bendición de la naturaleza de que deben gustar porque es bella. Y que si sus espinas sacan sangre es porque Dios quiere que se la trate con ternura, que se protege, como ellos de nosotros. Y dejadme solo un rato; tengo que meditar. (*Motolinía se acerca a los indios y* 15 *empieza a explicarles la voluntad del Obispo. Sus ademanes son tranquilos a la vez que imperiosos y los indios parecen ceder.*) Hermano Martín. (*Martincillo atiende; Fray Juan le indica con una señal que haga salir a todos.*) Seor Alonso, me veréis mañana en confesión. Id todos ahora, id ya. Y no quiero volver a oir 20 en mi vida el nombre del Tepeyácatl, o como se llame.

Durante las últimas réplicas, ni visto ni sentido, habrá entrado Juan cuarto (Juan Darío), con su tilma recogida por la mano izquierda, sereno, dulce, no indeciso, sino como deslumbrado simplemente. Se incorpora al grupo, que 25 *adquirirá gradualmente el carácter de un retablo popular, y guarda silencio.*

A las palabras de Fray Juan, Martincillo, tal un agente de tránsito del siglo XX, organiza el éxodo.

Fray Juan: No, pensándolo mejor, no vos, Fray Toribio. 30 Meditaremos juntos si queréis. La meditación — ¿dónde lo leí? — es cosa que requiere más de una cabeza.

Motolinía suspende el paso. Bajo las direcciones manuales de Martincillo, Juan primero, Juan segundo, Juan tercero y Alonso se dirigen hacia la puerta, abriéndose como un 35 *abanico. Entonces es cuando se revela a Fray Juan, Motolinía, Fray Antonio y el público, la figura silenciosa de Juan cuarto, situado al centro de la entrada como un corredor que ha llegado a su meta.*

5 MARTINCILLO: Y tú, ¿quién eres?

A la voz de Martincillo, Fray Juan, que se había dirigido a su mesa para dejar en el cajón la minuta en cuestión, se vuelve lentamente. Motolinía lo imita. Fray Juan avanza con despacio hacia Juan cuarto y repite maquinalmente, la
10 *pregunta del familiar.*

FRAY JUAN: ¿Quién eres tú?

JUAN CUARTO (*Habla bastante bien el español, con sólo pequeñas lagunas sintácticas remediadas en lo posible con una sonrisa que emana tranquila seguridad*): Soy Juan Darío, tata Obispo.

15 FRAY JUAN: ¿Y qué buscas aquí?

Motolinía se acerca observando a Juan cuarto.

JUAN CUARTO: Tengo encargo para ti, tata Obispo. No más para ti. Vengo de lejos.

MOTOLINÍA: ¿De dónde vienes, hijo?

20 FRAY JUAN: ¿Estáis fuera de vos, Fray Toribio? Temo que caigo en el pecado de Martincillo, pero os apuesto que éste viene también del Tepeyácatl.

JUAN CUARTO (*Prosternándose*): Tú como Dios — sabes todo.

FRAY JUAN (*Amoscándose*): Sí, claro. Soy su Obispo, y ya por sólo
25 eso, infalible — y zahorí. ¿Qué es lo que buscas aquí, Juan Darío? Di pronto tu encargo.

JUAN CUARTO: Vivo en Tepeyácatl, junto cerro. A éste conozco. (*Señala a Alonso, que, como todos los demás, se ha detenido a escuchar al ver que Fray Juan interroga a otro indio.*) Tiene mujer
30 india. (*Fray Juan se vuelve a Alonso, que inclina con resignación la cabeza.*) Encargo sólo para ti.

FRAY JUAN (*Impaciente*): Fray Toribio, ¿podéis hacer salir a esta gente para que terminemos ya?

MOTOLINÍA: Pensaba, Fray Juan perdonadme, que son ya cuatro los indios que nos hablan del Tepeyácatl. Es como si se reunieran los cuatro puntos cardinales. 5

FRAY JUAN (*Con fatigada impaciencia*): En efecto. De todos modos, ¿queréis probar a hacerlos salir?

Motolinía se acerca a los indios y les habla en voz baja. Fray Juan y Juan cuarto aguardan como estatuas en un dúo misterioso. Los tres indios mueven la cabeza negativamente y dicen algo. Quieren saber qué pasa. 10

MOTOLINÍA: Sé que no se irán, Fray Juan. Están impresionados por algo y son firmes. Ya podrían los conquistadores amenazarlos de muerte y aun matarlos, que no se moverían. Pobrecillos.

FRAY JUAN: Sí: Motolinías. (*Reflexiona un instante.*) Juan Darío, diles que se vayan. 15

JUAN CUARTO (*Sonriendo*): Son hermanos. (*Va a ellos y los arenga. Enérgico movimiento negativo de cabeza de los tres indios. Alonso, el fraile y Martincillo permanecen a la expectativa. Vuelve al lado de Fray Juan.*) No quieren. 20

FRAY JUAN: Entonces no podrás darme tu encargo. O bien, sal tú conmigo.

JUAN CUARTO: Ha de ser aquí — frente al Tata. (*Señala el crucifijo suspendido en la pared.*)

FRAY JUAN: Haz que se vayan. 25

JUAN CUARTO: No tengo . . . (*Busca la palabra.*) . . . poder. (*Mira hacia el frente.*) Aquí. (*Avanza a primer término. Fray Juan, intrigado, lo sigue. Juan cuarto se arrodilla y habla en voz tal que no se piensa que pueda llegar a los oídos de los tres indios, el fraile, Alonso y Martincillo. Motolinía permanece a media escena, pero observa atentamente.*) 30

FRAY JUAN (*Conmovido a pesar suyo*): Habla, pues, Juan Darío.

JUAN CUARTO: Tata, en falda cerro señora hermosa muy hermosa dice a Juan Darío pobrecito dice Juan Darío aquí quiero casa hermosa muy hermosa. Soy tu madre pobre indio Juan Darío. Di a tata Obispo quiero aquí casa hermosa
5 para Madre de Dios y de indios. Yo digo a tata Obispo.

FRAY JUAN (*Asimila lentamente. Va a su mesa y vuelve a tomar la minuta, que recorre con los ojos. Juan cuarto sigue arrodillado. Fray Juan se enfada.*) Vamos, levanta de allí, hombre. Fray Toribio . . .

MOTOLINÍA: Hermano . . . (*Se reúnen los dos, ahora al extremo izquierdo*
10 *del primer término.*)

FRAY JUAN: Esto es una maldición, Benavente. Y que Dios Nuestro Señor me perdone. Acabo de recordar que cuando tuvimos esa junta — ¿lo olvidasteis? — un indio escuchó detrás de la puerta. ¿Fue alguno de estos cuatro?

15 MOTOLINÍA (*Dudoso*): Me sería imposible decirlo. Quizá Fray Antonio . . .

FRAY JUAN: Fray Antonio . . .

El fraile se desprende del conjunto y se acerca.

FRAY ANTONIO: ¿Señor?

20 FRAY JUAN: Pensadlo bien: ¿podría ser uno de estos cuatro indios aquél a quien descubristeis una tarde escuchando a mi puerta, cuando estaba yo con el Prior Las Casas y los . . . ?

FRAY ANTONIO: ¿El que dije que era idiota, Ilustrísima? No. Podría jurar que no. ¿Hay algo que . . . ?

25 FRAY JUAN: Nada. Gracias. Apartaos. (*El fraile vuelve a sumarse al conjunto.*)

FRAY JUAN: Hermano. Este (*Por Juan cuarto*) asegura que habló con *la señora.*

MOTOLINÍA: ¡Ave María!

30 FRAY JUAN: Ya hemos hablado de su imaginación, hermano. Y hay que liquidar esto. (*Se vuelve con energía a Juan cuarto.*) ¿Cómo es que hablas español, Juan Darío?

JUAN CUARTO: Aprendo en Tlaltelolco. Motolinía enseña. No conoce porque aztecas todos iguales.

FRAY JUAN: ¿Lo conocéis?

MOTOLINÍA (*Sonriendo*): Ya os lo explicó él.

FRAY JUAN: Pero ahora vienes del Te . . . (*Se detiene.*) 5

JUAN CUARTO: peyácatl. (*Baja la voz, se vuelve al frente.*) Señora hermosa dice . . .

FRAY JUAN: Calla. ¿Dónde viste a esa señora, dime?

JUAN CUARTO: Al pie cerro. Parecía señora india, pero hermosa.

FRAY JUAN: ¿Estás seguro de que no fue junto a la casa donde vive la mujer del español? (*Indica a Alonso con la mirada.*) 10

JUAN CUARTO: No. Lejos — una legua — dos legua.

FRAY JUAN: ¿Y en qué idioma, en qué lengua te habló?

JUAN CUARTO: No sé. Yo lo entiendo.

MOTOLINÍA: ¿Es un milagro de verdad, Fray Juan? 15

FRAY JUAN: Soy creyente, hermano. Pero esta vez dudo. Y tengo razones para dudar. (*Recorre la minuta.*) El . . . auto sacramental que se preparó contra toda mi voluntad quedó dispuesto para el Pedregal el día de San Silvestre, el 31 de diciembre.[71] ¿Qué fecha es hoy? 20

MOTOLINÍA: El doce. Recordad que Martincillo . . .

FRAY JUAN: Bastante lo recuerdo, y doy gracias a Dios de su primer olvido, porque así os trajo a mi lado hoy. Seor Alonso . . .

ALONSO (*Acercándose*): Ilustrísima . . . 25

FRAY JUAN: Por el Santísimo Sacramento y so pena de excomunión, volved a decirme cuántos rosales habéis sembrado.

ALONSO (*Trémulo*): Ya os lo dije, señor: tres grandes en el Pedregal, para algo que no se me dijo. Uno pequeño detrás y lejos del cerro del Tepeyácatl, para la india que va a darme un mesticillo de mi carne y de mi sangre.

Fray Juan pasea un momento. Al fin hace restallar los dedos cordial y pulgar de la mano derecha.

5 FRAY JUAN: Eso es. Debí darme cuenta antes. Bien sabía yo que nada bueno podía salir de una idea del Rey. Mezclar mujeres a estas cosas... ¡Dios! Dime, Juan Darío. ¿Cómo era esa señora?

JUAN CUARTO (*Piensa, sonríe.*): Hermosa...

10 FRAY JUAN: Sí. ¿Qué más?

JUAN CUARTO: Dulce. Voz de música entre cañas de lago. Dulce.

FRAY JUAN: ¿Qué más?

JUAN CUARTO: Y es como india — pero con citlali... no, no, con luz. La veo. (*Así lo comunica su expresión.*)

15 FRAY JUAN: Hay que acabar en seguida con esto, Fray Toribio. Ahora os diré lo que pienso. ¿Fray Antonio?

FRAY ANTONIO (*Volviendo a acercarse*): Señor Obispo.

FRAY JUAN: A conocimiento vuestro, ¿ha salido de esta casa alguna vez nuestra hermana clarisa?

20 FRAY ANTONIO: No podría decirlo, señor. No lo sé.

FRAY JUAN: Id al claustro del fondo con Fray Martín. Pedid dispensa para él y rogad a la hermana que venga aquí con vosotros. (*Martincillo, desde su lugar, quiere decir algo.*) Id sin replicar y volved luego.

25 *Mutis fraile y Martincillo.*

MOTOLINÍA (*Perplejo*): ¿Pensáis que...?

FRAY JUAN: Pienso — Dios me perdone — que esta intrusión del poder temporal sobre el poder de la Iglesia está dando un mal fruto prematuro. Pienso que los hombres de espada, leales a
30 Carlos y a sus intereses más que a Dios, pueden haber

preparado todo esto. De algún modo conocían las intenciones del Emperador. ¿Qué pensáis vos?

Motolinía: Si pensara yo, Fray Juan, quizá no creería. Y creo, sin base ninguna, sin asidero a la razón ni al conocimiento, que sucede aquí algo que está fuera de nosotros. 5

Fray Juan: Todo mi esfuerzo, hermano, ha sido por atar los dos cabos, porque eso es para mí lo que nuestro tiempo pide: religión y razón. Si el ser humano debe ser, porque es, un animal de razón, es preciso que en él se fundan el sentimiento religioso sin el cual no sería más que un animal sin razón de 10 ser, y el ejercicio de la razón, sin el cual la religión se volvería cosa animal, de instinto puro, para él. Lo temo todo de los valientes capitanes sacrificadores, hermano — de los Cortés que para dar muestra de autoridad hacían cortar las manos a los emisarios de los príncipes indios, y promiscuaban con 15 las naturales como si la pelvis de una virgen pudiera distinguirse y separarse de otras sólo por el color. Y que aceptaban pasar por dioses ante el indio.

Motolinía: Me da horror pensarlo — más aún, decirlo, pero os veo a la orilla de la apostasía, Fray Juan. 20

Fray Juan: Sois un necio, hermano pobrecito. Dios es esencia, claro. Pero si Dios no es razón, querría decir que la razón es cosa del diablo. Vivid en vuestro tiempo y dejaos de vivir de limosnas del pasado.

Motolinía: ¡Fray Juan! 25

Fray Juan: Protestad. ¿No os dais cuenta, entonces, de cómo se nos usa? Convertimos al indio a la fe de Nuestro Señor, le llenamos los oídos de himnos y el pecho de plegarias, les prometemos el paraíso, ¿para qué? Para que vayan al fondo de las minas o a picar cantera para la construcción de unas 30 cuantas iglesias y de unos muchos palacios. Para que revienten cantando el santo nombre de Dios. Y no vos, ni Las Casas, ni Gante, ni Olmos, ni Alonso de la Veracruz, ni Martín de Valencia, ni Sahagún, ni tantos más — pero, ¡cuántos de nuestros débiles hermanos en ejercicio de religión 35

se dejarán llevar por la buena vida, el chocolate y el oro! No los que vemos de cerca aquí las cosas y tenemos a toda hora del día y de la noche la conciencia en cruz — sino tantos y tantos y tantos que se ríen de vos y de mí en
5 España y, perdóneme Dios, quizás en Roma misma.

MOTOLINÍA: Fray Juan, me hace daño oiros, veros tan lejos de nuestra fe. Llamadme insensato y necio y pobrecito si queréis, pero creo que estáis enfermo.

FRAY JUAN: Claro que estoy enfermo. Enfermo, hermano, de
10 un mal nuevo, mal de nuestro siglo, enfermo de una podredumbre que habrá de contagiarse a toda Europa y que se llama América o México.

Un ruido de espuelas los hace volverse hacia la puerta, que se abre sin toquido previo a impulso de la mano de un
15 *alférez de burdas maneras y tosca voz.*

FRAY JUAN: ¿Qué significa esto y cómo osáis entrar aquí sin anunciaros?

ALFÉREZ (*Insolente, mirando en torno*): Bien recibís indios y frailes, señor Obispo. Yo soy alférez y soy hijodalgo. (*Saluda burda-*
20 *mente.*) Vengo como adelantado del Capitán General Don Hernando Cortés, que ha abandonado su real de Coyoacán para honraros con su visita.[72]

FRAY JUAN (*Temblando de cólera, pero conteniéndose a dos puños*): El Capitán General de la Nueva España será bienvenido a
25 esta obispalía como hijo respetuoso de la Iglesia — y como cualquier indio. (*El alférez va a hablar.*) Un momento. ¿A qué obedece esta visita?

ALFÉREZ: El Capitán General sabe todo lo que ocurre en sus dominios. Llegó a sus oídos muy temprano esta mañana
30 que ocurren cosas en Tenochtitlán. Nubes de indios, que es como decir de moscas inficionantes, han rodeado su palacio para hablarle de qué sé yo qué cuento o fábula de una mujer que se aparece ante los naturales para sacar más diezmos para la Iglesia.

MOTOLINÍA: ¡Señor Alférez, no . . . !

FRAY JUAN: Dejad, Fray Toribio. Este pobre hombre de espada no sabe que la lengua de un Obispo tiene más virtudes armadas que un ejército. Seor Alférez, seor hijo de . . . algo, salid de aquí cuanto antes, que mancilláis mi casa que es la casa de Dios, donde la espada no tiene voz ni fuerza. Cuando vuestro Capitán General, hijo predilecto — no sé ya bien por qué — de la Iglesia cristiana, llegue aquí, será admitido a mi presencia. Pero él solo.

ALFÉREZ: Perdonad que me ría, pero . . .

FRAY JUAN: Si no sabéis lo que es un vasco, imaginad a un Obispo vasco (*Levanta el puño*) poseído por toda la cólera de Dios. Dije: salid.

ALFÉREZ: Soy Alférez del Capitán Ge . . .

FRAY JUAN: Bajo estos techos a medio tender no cabe más ejército que el de Cristo. Cuando portéis sotana sin deshonrarla seréis bienvenido también vos. Dije: salid.

Se adelanta con toda su energía hacia el alférez, que retrocede y sale colérico. Los indios sonríen ampliamente.

MOTOLINÍA: Estáis fuera de vos, hermano. ¿Es conducta de obispo ésa?

FRAY JUAN: ¿Deja un hombre — y un hombre de tierra vascongada además — de serlo porque es obispo? El episcopado no es cosa de uniforme, hermano, sino de atributos humanos. No es ornamento sino batalla, sobre todo aquí. ¿No lo veis todo ahora bien claro? ¿No veis que Cortés estaba preparado para lo que sin duda él mismo organizó? Ahora viene a cobrar los diezmos del milagro acusando de fraude a la Iglesia. No acabamos de oir a Juan Darío nosotros cuando ya en Coyoacán estaban informados. ¿No lo veis?

MOTOLINÍA: Perdonad, Fray Juan, pero he visto incendios en el pasto. Prende un tallo o una brizna al calor del sol o a la chispa del pedernal, y todos los demás lo siguen, incendiándose como quisiéramos que se incendiaran los naturales bajo la llama de la fe cristiana. ¿Quién puede contener el fuego que se comunica, quién puede detener la sangre que mana, quién reprimir el agua que se desborda?

5 FRAY JUAN: ¿Queréis decir algo? Y si así es, Fray Toribio, ¿qué queréis decir?

MOTOLINÍA: No lo sé bien, Fray Juan — no lo sé. Pero sé que la cólera, aunque sea vuestro elemento natural, es una fábrica ciega de errores.

10 FRAY JUAN: Eso es verdad. Juan de Zumárraga, Juan de Razón, Juan de Cólera. Nunca seré castigado lo bastante por la misericordia divina. Y observad, hermano Toribio, que la misericordia de Dios es el mayor castigo del pecador. Peor que su rayo, porque tenéis que vivir con ella — bajo ella 15 siempre.

MOTOLINÍA (*Signándose*): El os perdone, Fray Juan.

Regresa el fraile, solo y en toda apariencia presa de una agitación incontenible y extraña.

FRAY JUAN (*Volviéndose, accionado a su vez por otro motivo de enojo*): 20 ¿Habéis venido sin la hermana?

FRAY ANTONIO: Perdonad, señor Obispo. No puedo más. Abandono la Orden, con o sin vuestra venia.

FRAY JUAN: ¿Qué es lo que ocurre ahora? ¿Habéis perdido todo sentido de . . . ?

25 FRAY ANTONIO (*Interrumpiéndolo*): Creo que sí, señor. Carlos y su Ministro y nuestro propio Cardenal sacudieron extrañamente mi fe. Y luego, me he dado cuenta de ciertas cosas, y ahora esta monja loca . . .

FRAY JUAN: ¿Acabaréis de explicaros?

30 FRAY ANTONIO: Loca sin duda, que dice estar en éxtasis siempre y ser la Madre de Dios . . . No puedo cerrar ya los ojos. No quiero ser cómplice de un fraude, ni testigo de . . . Os lo pido, dejadme ir ahora mismo.

FRAY JUAN: Ah, esto ahora. Bien. Me alegro, es lo mejor que puedes hacer, necio. Irás con los soldados. Pero ahora no tengo tiempo de esto. ¿Dónde está la hermana?

Entra Martincillo, presuroso y lleno de azoro, y oye la pregunta. 5

MARTINCILLO: La hermana me sigue, hablando sola, pero estoy más intranquilo que si hubiera maculado la sagrada hostia, señor.

FRAY JUAN: ¿Qué nueva necedad os ocurre ahora?

MARTINCILLO: Id al balcón, señor Obispo. Ved esa formación de 10 indios allá abajo, que es cosa nunca vista, y si los italianos y los franceses y los andaluces la vieran pensarían que es cosa de procesión o de tumulto y holgaran de verla.

FRAY JUAN: Callad ya, hermano.

Se dirige al fondo de la escena. Los indios, el fraile y Alonso 15 *se apartan, y entra la monja. Es una sevillana joven, morena, de grandes ojos tan dilatados que se creería que sufre de bocio exoftálmico. Su hábito da la impresión de ser ligero y traslúcido. Junta sus manos en alto evocando a su manera la imagen sucedánea y sin niño de la virgen de Guadalupe.* 20 *Está, a todas luces, en un trance, provocado quizá por la conciencia de haber sido llamada y de enfrentarse a un grupo de varones. Los tres indios se prosternan pegando las frentes al suelo, y Alonso, supersticioso después de todo, acaba por imitar su ejemplo. Hay algo de santidad, de* 25 *divinidad de ocasión que se desprende de la figura, nimbada dijérase, de la clarisa. Sólo Fray Juan, Motolinía, el fraile erguido y exaltado, Martincillo a un lado y Juan cuarto permanecen de pie en sus lugares, observando a la recién venida. Sin una palabra, la monja se adelanta hasta la mitad del* 30 *escenario. Su sonrisa es de una beatitud absoluta. Su mirada se pierde en el espacio. Sus manos aletean brevemente y vuelven a juntarse. Su trance parece infinito, y totalmente extraterreno.*

FRAY JUAN (*Abarcando de un golpe toda la situación y resuelto a aclararla de una vez*): Buenos días, hermana clarisa. (*La monja no atiende. No parece escuchar siquiera.*) Buenos días, hermana clarisa. (*Silencio de la monja. Fray Juan, con mayor énfasis y en voz más alta, repite*): Buenos días, hermana clarisa.

LA MONJA (*Aparentemente sin salir del trance, hablando como una hipnotizada o médium, con voz suave y musical*): Buenos días, hermano Obispo.

Juan cuarto observa a la monja presa de una fascinación sin límite. Su mano izquierda oprime siempre sobre su pecho la tilma plegada.

FRAY JUAN (*Con deliberación, como un cirujano que se apresta a cortar, con una frialdad de fuego maravillosa*): Juan Darío, Juan Darío, Juan Darío. (*Juan cuarto vuelve al fin los ojos a él.*) Juan Darío, ¿es ésta la señora que viste al pie del cerro del Tepeyácatl? ¿Es ésta la hermosa señora?

En medio del trance, la monja sevillana posa lentamente la aterciopelada mirada de sus ojos dilatados, ojos negrísimos de prodigio, sobre Juan cuarto, que se conturba pero que no se prosterna ni desvía los ojos con que devora el espectáculo. Sus miradas se cruzan largamente.

FRAY JUAN: Mirad a los demás indios, Fray Toribio. (*Con amarga ironía*) Condéneme Dios si no parecen los Adanes de la Eva ignorada. Menos Juan Darío. ¿Es ésta, Juan Darío, la señora que viste? ¿La señora que te dio un encargo para mí?

JUAN CUARTO (*Traga angustiosamente saliva. Con visible esfuerzo desprende sus ojos de la aparente visión. Lentamente*): Parece — Sí — Parece — Pero no es, tata Obispo.

La monja pretende que permanece en éxtasis, aunque se da cuenta de que Juan cuarto ha dejado de mirarla a los ojos.

FRAY JUAN (*A Motolinía*): Estaba cierto, sabéis, de que la hermana — bendita de Dios al fin — habría hecho un disparate y aparecídose antes de la fecha y en otro lugar. ¿Qué sabemos de lo que pasa en un ánimo enfermo? (*A Juan cuarto*): Piénsalo bien: ¿estás seguro, Juan Darío?

JUAN CUARTO (*Con igual lentitud, como si salmodiara oración o saboreara pastilla*): Parece — no es, tata Obispo. No es.

FRAY JUAN: Oíste su voz cuando me habló. ¿No es ésa su voz (*Mímica expresiva ante la mirada interrogante de Juan cuarto*): la voz con que te habló? ¿La voz? 5

JUAN CUARTO (*Mueve la cabeza con una dulce sonrisa*): No.

FRAY JUAN: ¿Cómo puedes estar seguro?

JUAN CUARTO: Su voz — más . . . más dulce . . . más . . . luz. Y falta xóchitl.

MOTOLINÍA: ¿Flor? ¿Qué flor, qué xóchitl? 10

JUAN CUARTO: Xóchitl que hace sangre — ésta.

Se vuelve de frente a Fray Juan, Motolinía, la monja, los indios, Alonso, el fraile y Martincillo, quedando de espaldas al público y despliega su tilma. Con ambas manos entonces tenderá las rosas rojas, muchas, a Fray Juan y a Motolinía. 15 *Al mismo tiempo, ante la imagen desplegada, invisible al público, de la Guadalupana, la monja se desploma mientras dice*

JUAN CUARTO: Señora dice: Da xóchitl tata Obispo para que haga mi casa aquí. Es señal que mando. 20

A su vez el fraile cae de rodillas. Sus labios forman en silencio la palabra: Milagro, y hace el signo de la cruz.

Empieza a oirse fuera de escena un rumor creciente de tumulto. La luz crece gradualmente. Fray Juan medita con tanta intensidad como opera el cirujano o ensaya veta el minero. 25 *Parece crecer con la meditación. El pequeño grupo de indios ha visto la imagen y vuelto a prosternarse, menos Juan cuarto, que permanece arrodillado en una rodilla. Alonso, de rodillas, examina con azoro las rosas.*

FRAY JUAN (*Al fin*): ¿Qué es esto, Fray Toribio? 30

MOTOLINÍA: Me tenéis tan asustado con vuestra violencia que casi no oso decirlo, Fray Juan.

FRAY JUAN: En fin, decid.

MOTOLINÍA: Es un milagro . . . (*Ademán de Fray Juan*) . . . o parece ser un milagro.

FRAY JUAN: ¿Milagro? ¡Superchería! ¡Blasfemia contra la fe y la
5 razón!

MOTOLINÍA: Por favor, oidme. Lo habíamos fijado, como un auto sacramental a ruego mío, para el 31 de diciembre, fiesta de San Silvestre. Y en el Pedregal de San Angel, hacia el sur. (*Nuevo gesto de Fray Juan.*) Permitid, todo está en vuestra minuta. Y
10 la aparición ocurre el 12 de diciembre de 1531 al pie del cerro del Tepeyácatl, hacia el norte, en día no solemne. ¿Qué mayor claridad pedir?

FRAY JUAN: Ahora estoy seguro. Esas gentes han usado a otra, ni siquiera religiosa, pues no hay más, quizás a una india . . .
15 Inhumana, sacrílega intriga, juego de Carlos V y de Cortés que habrá que denunciar. (*Mira hacia el balcón, parece recoger todas sus fuerzas en sus puños cerrados y se dirige a él.*)

MOTOLINÍA: ¿Qué vais a hacer, Fray Juan, en el nombre de Dios, qué vais a hacer?

20 *Fray Juan abre el balcón. El tumulto crece abajo sin que sea posible distinguir lo que dicen las voces en nahoa. Poco a poco se precisa, repetida en ascenso, la palabra* Tlamahuizolli.

FRAY JUAN: ¿Qué es lo que gritan, Toribio?

25 MOTOLINÍA (*Presta un momento el oído, sonríe*): Ya. Gritan, Fray Juan, *tlamahuizolli*, esto es, hecho sorprendente o suceso maravilloso. (*Fray Juan retrocede y se aparta del balcón llevándose las dos manos a la frente. La luz aumenta.*) ¿Qué os ocurre, Fray Juan?

FRAY JUAN (*Después de agitar las manos un instante*): Carlos o no
30 Carlos, Cortés o no Cortés, ahora lo veo todo como si mi cabeza se hubiera abierto en dos para dejar pasar la luz. Benavente.

MOTOLINÍA: No os entiendo. Tampoco ahora.

Fray Juan: Treinta y uno de diciembre, doce de diciembre, ¿qué importa? Agencias humanas, ¿cómo existirían, cómo funcionarían sin Dios? Como un gran golpe de la cruz en el pecho siento algo, hermano, en esa nube de ruido que llega de la plaza. 5

Motolinía: Os encarezco que os expliquéis.

Fray Juan: No diremos nada, Benavente. Dejaremos que la orgullosa corona española piense que todo pasó como ella lo había dispuesto. Dejaremos que España crea que inventó el milagro. 10

Motolinía: No estáis en vos.

Fray Juan: No lo estaríais vos mismo si vierais lo que yo con estos ojos. Hay que ocultar la verdad a Carlos y a todos, hermano, porque a partir de este momento México deja de pertenecer a España. Para siempre. Y eso es un milagro de 15 Dios.

Motolinía: ¿Ahora sí creéis en milagros?

Fray Juan: No hay más que uno, y ése lo palpo ahora. Mi razón me lo dice a gritos.

Una voz (*Fuera de escena*): Se acerca el Capitán General Don 20 Hernando Cortés. ¡Paso! ¡Paso!

Mientras la monja permanece en el suelo, pero consciente y en oración ahora, los indios, el fraile, Alonso y Martincillo siguen a Fray Juan y a Motolinía hacia el balcón. Martincillo se santigua frenéticamente. Crece el tumulto de voces. 25 *Una luz cenital parece echar abajo las paredes e inundarlo todo. Juan cuarto, pausadamente, tiene un movimiento como para volverse al público y mostrar su tilma. Algo lo detiene y como bañado por un pueril diluvio de bienestar, se dirige al balcón donde Fray Juan se prepara a bendecir al pueblo.* 30

Fray Juan (*A Motolinía*): Veo de pronto a este pueblo coronado de luz, de fe. Veo que la fe corre ya por todo México como un río sin riberas. Ese es el milagro, hermano.

TELON

Notas

[1]El ministro (Francisco de los Cobos y Molina); El cardenal

Usigli in a long prologue to the play explains that he has Charles V in Act I talk with **"un ministro — que podría ser De los Cobos como otro cualquiera —, y con un cardenal u otro, innominado."** Therefore, the presentation of the fictitious minister and cardinal is intended for theatrical effect, and as the author says is **"antihistórico, pero teatral."**

[2]Carlos V

Charles V (1500–1558) was crowned king of Spain in 1517 as Charles I, and in 1519 he was chosen emperor of the Holy Roman Empire with the title of Charles V. Since he was born in Flanders (the territory that Belgium and Holland occupy today), he was unable to speak Spanish when he came to Spain. Francis I, king of France, was his greatest enemy since both rulers aspired to supremacy in Europe. The vast kingdom of Charles V included Sardinia, Sicily, Milan, Naples, the Netherlands, Germany, northern Africa, South America, Central America, and the southern part of North America. He ruled Spain until 1556 when he abandoned the throne to his son Philip II, after which he retired to the monastery of Yuste in the province of Cáceres, Spain. Historians claim that he spent the last two years of his life at the monastery regulating clocks in an attempt to synchronize them. When he failed to make the clocks strike the hour together, it is said that he exclaimed to a servant: **"Loco de mí, que pretendí igualar a tantos pueblos diferentes."**

[3]La reina Isabel

Isabel (1503–1539) was from Portugal and married her cousin Charles V in 1526. She was the mother of Philip II, born in 1527, who succeeded Charles V as king of Spain, and died in her beloved Extremadura.

[4]. . .por el Papa Benedicto XIII;

Benedict XIII (c. 1328–1422?) was Pedro de Luna, who belonged to one of the most noble families in Aragon. Pope Gregory XI made him a cardinal in 1375, and he was elected antipope by the cardinals of Avignon in 1394. He established the monastery of San Jerónimo de Yuste in Cáceres, Spain, as a chapel in 1407 by papal decree. It remained under the Hieronymite Order (followers of Saint Jerome) until 1809 when the Franciscans took control. Now in ruins, it was the residence of Charles V after his abdication in 1556 and was the place of his death two years later.

[5]Es ya el padre de la cristiandad por encima de Clemente VII;

Pope Clement VII (1478–1534), a member of the Medici family, occupied the Papal chair from 1523 to 1534. He was the Pope who refused to recognize Henry VIII's divorce of Catherine of Aragon.

[6]. . .el señor del mundo por encima de Francisco I . . .

Francis I (1494–1547) was king of France from 1515 to 1547. He declared war against his rival Charles V of Spain in 1520. In 1525 he was captured and led captive to Spain where he recovered his liberty only after signing a treaty at Madrid in 1526 which he later declared null and void. He was called the "Father of Letters" and owes his glory to the artists and writers who competed for his praise. He sent to Italy for artists and for works of art, and at his court he installed among others, the famous Benvenuto Cellini, Francesco Primaticcio, and Rosso del Rosso.

[7]. . .y de Enrique VIII;

Henry VIII (1491–1547) was the king of England from 1509 to 1547 and the sovereign during whose reign the Church of England was separated from the Church of Rome. When Charles V, who was elected Emperor of the Holy Roman Empire in 1519, and Francis I sought the alliance of England, Henry VIII withdrew from the struggle. The Pope refused to grant the divorce of Henry VIII from his wife, Catherine of Aragon, who was older than he and who had not borne him a male heir. However, his marriage was declared null in 1533, and a previous marriage with Anne Boleyn was determined lawful by the Parliament. When the Pope refused to recognize both decisions, Henry VIII proceeded to suppress the monasteries by an act of Parliament which inflicted an incurable wound upon the Catholic religion in England.

[8]. . .el padre, por su nacimiento, de la Inquisición española. . .

The Inquisition, an ecclesiastical tribunal, was established to try persons accused of heresy, magic, or other offenses against the Catholic Church. Many of the cases tried by the Spanish Inquisition were actually not heresies but crimes which today would be brought before ordinary civil courts. The Catholic sovereigns, Ferdinand and Isabel, obtained permission from the Pope to reorganize the Inquisition on the pretext of a plot to overthrow the government. In 1480 the Spanish Parliament (the **Cortes**) sanctioned the institution, and although the Inquisition was suppressed temporarily in 1808, it was not completely abolished until 1834. Carlos V might be considered as the father, by birth, of the Inquisition since he was the grandson of Ferdinand and Isabel of Spain.

[9]. . .**el hijo de Juana la Loca.**

Joan the Mad was the oldest daughter of the Catholic sovereigns, Ferdinand and Isabel, and the mother of Charles V. It was the intention that Joan would assume the throne when her mother died in 1504, but in the event that she should prove unable to govern, Ferdinand would act as regent until her heir became twenty years of age. On the occasion of the burial of her husband, Philip the Handsome, in 1506, she gave such proof of her mental unfitness that Ferdinand was installed as regent since Joan's oldest son, Charles of Ghent, had not attained his twentieth year.

[10]. . . **lucha contra, y tolerancia de, Lutero;**

Martin Luther (1483–1546), founder of Protestantism, was an Augustinian monk and teacher of theology in the University of Wittenberg, Germany and the leader of the Reformation against papal supremacy and various doctrinal tenets of the Church of Rome. In 1517 a Dominican priest, Johann Tetzel, appeared in the vicinity of Wittenberg selling indulgences, the proceeds of which were to go toward the building of Saint Peter's in Rome. Luther nailed upon the church doors in Wittenberg ninety-five theses which were distributed by the press throughout Europe, and soon the entire continent was plunged into a tumult of controversy. Because of his public utterances and writings, Pope Adrian VI issued a bull against him and Luther's writings were declared heretical, but he publicly burned the communication. In 1521 the Diet of Worms, an assembly of the princes, nobles, and clergy of Germany, was convened by Emperor Charles V, and Luther was summoned to recant his errors, but he refused to do so and was pronounced a heretic. It is believed that the rapidity with which his doctrines gained ground was due as much to his hymns as to his preaching.

[11]—**dualidad de la que Felipe II no heredará . . .**

Philip II (1527–1598), king of Spain from 1556 to 1598, was the son of Charles V and Isabel of Portugal. He was responsible for outfitting the famous "Invincible Armada," which he sent against England in 1588. Most historians blame him for the rapid decline of Spanish power in spite of the remarkable period of Spanish literature and art which began during his reign and was known as the Golden Age.

[12]. . . **América, bautizada por el nombre de Amérigo Vespucio . . .**

Amerigo Vespucci (1451–1512), Italian merchant and explorer, sailed along the coast of the Gulf of Mexico in 1497–1498 and the coast of Venezuela in 1499. The account of his travels is included in the ***Introductio Cosmographicae*** of Martin Waldseemüller, who gave his name of Amerigo (America) to the New World. (*See Note 16.*)

[13]. . . **Isabel y Fernando, señor, que pusieron el dinero.**

Isabel (1451–1504), queen of Castile, with her marriage to Ferdinand V (1452–1516), king of Aragon, brought about the unification of Spain and their country's preeminence among European states. The title of *Catholic Sovereigns* was conferred upon them in 1496 by Alexander VI, a Pope of Spanish origin, in consideration of the great service they had rendered Christendom. The most brilliant event of their reign was the discovery of America through Isabel's faith in the designs of Christopher Columbus. They supplied the funds for the three ships: **la Niña, la Pinta,** and **la Santa María.**

[14]**. . . al ignorante Colón, que creía seguir a Marco Polo y siguió a otro polo.**

Marco Polo (1254–1324), a Venetian traveler, visited China in 1271 where he was made governor of a province by Kublai Khan. In 1292 he accompanied an escort of a Mongolian princess to Persia. The account of his many travels in *The Book of Marco Polo* created a powerful thirst for adventure. Many believed that the wonderful stories were fabricated, but later travelers testified to their genuineness. Columbus might be called ignorant because when he first sighted land on October 12, 1492, he gave the island of Guanahani the name of San Salvador. He believed that it belonged to the Indies, the islands off the coast of eastern Asia, and so the New World came to be called the Indies and the natives Indians.

[15]**. . . sin mis capitanes Cortés y Pizarro y Alvarado . . .**

Hernán Cortés (1485–1547) was one of the greatest of adventurers to come to America during the period immediately following the discovery of the New World. His great exploit was the conquest of Mexico which was inspired by the characteristic Spanish hope of finding gold and treasure. He went to the West Indies in 1504, and then in 1518 set out from Santiago de Cuba with eleven vessels, about 700 Spaniards, eighteen horses, and ten small field pieces. He landed on the Gulf of Mexico where he ordered his vessels to be burned in order that his soldiers might have no other resources than their own valor. After meeting stubborn resistance from various tribes near the coast, he was able to go on his way toward the Aztec capital. Montezuma, the great Aztec ruler, received him in Tenochtitlán (now Mexico City) in a friendly spirit. Cortés learned of a conspiracy against him and by trickery secured Montezuma as a hostage. The Aztec king died, and the Spaniards were driven from the city with great losses. It was not until the middle of 1521 that Cortés was able to enter the city again to conquer the Aztecs. Cortés returned to Spain in 1528, but two years later he was again sent out to Mexico where he remained for ten years.

Francisco Pizarro (1476–1541), Spanish adventurer, came to the New World in 1502 and settled in Panama. In 1519 he formed a partnership with Diego de Almagro to explore South America, but after realizing the need for additional forces and equipment, he decided to return to Spain. Empowered by Charles V to conquer the coveted territory, he returned in

1530 and a year later arrived in Peru. After capturing the Inca emperor Atahualpa, he killed him, and the entire Inca empire was soon defeated without much opposition. During a quarrel between Pizarro and his partner Almagro in 1537, the latter was strangled to death by a brother of Pizarro. Four years later a son of Almagro took vengeance by murdering Pizarro at his palace in Lima.

Pedro de Alvarado (1485–1541), Spanish adventurer, joined Cortés in the conquest of Mexico and became his chief lieutenant. Because of his fearless exploits he won from his commander the title *El Adelantado* (the reckless or daring leader). Cortés sent him in 1523, with a force of 420 Spaniards and a large company of Indians, to conquer Guatemala. A year later the Quiché tribes surrendered and the city of Guatemala was founded with Alvarado as its governor. When he was called to Guadalajara to put down an insurrection, he was fatally wounded and died near Manzanillo, Mexico.

[16]**. . . la *Introductio Cosmographicae* de Waldseemüller, o como se pronuncie.**

In his essay ***Introductio Cosmographicae*** (*Introduction to Cosmography*), published in 1507, the geographer Martin Waldseemüller called the western lands **America** after the Italian explorer Amerigo Vespuccio, who had referred to them for the first time as the New World in 1499. The name was so well received that even Spain accepted it, although Spaniards used more frequently the name **las Indias** up to the end of the seventeenth century. The expression **o como se pronuncie** refers to the traditional Spanish tendency to mispronounce foreign names.

[17]**. . . un tal Maquiavelo que expresó ideas parecidas hablando de una alcachofa.**

Niccolò Machiavelli (1469–1527), Italian statesman and writer, in *The Prince* and *Art of War* outlined the causes of Italian decadence and suggested remedies which were ultimately applied in the unification of Italy. Although the idea of considering the Italian princedoms as a whole, like an artichoke that should be eaten leaf by leaf, came from *The Prince*, the expression is really attributed to Cesare Borgia (1475–1507), the natural son of Rodrigo (Pope Alexander VI). He became a cardinal and military leader, and although he was unscrupulous and cruel, he was a patron of learning, and Machiavelli considered him to be a model ruler.

[18]**. . . y las cartas mismas de Cortés, no bastan a ilustrarnos.**

The only writings of Hernán Cortés are five letters on the subject of his conquests, which he called ***Cartas de relación*** (*Letters of Reports*) and addressed to Charles V of Spain. Written successively in the years 1519, 1520, 1522, 1524, and 1526, they are eye-witness accounts of some of the most exciting moments of the Spanish conquest.

[19] **Pensad en Colón, señor, a quien hubo que hacer volver con prisiones en los pies y en las manos.**

On the third voyage to the New World in 1498, Columbus discovered a number of islands and the mainland of South America, but his colonization plans in **Española** (Little Spain) did not turn out well, and he had also become an object of envy and the victim of petty intrigue. He was sent home in chains but was released through the intervention of Ferdinand and Isabel.

[20] **. . . y se unió a esa india, la Malinche o doña Marina, lengua y Eva de Tabasco . . .**

When Cortés captured Tabasco on March 12, 1519, one of his demands was that the Indians should abandon their pagan religion and accept Christianity. Among the gifts received from the natives were twenty women, including doña Marina (**la Malinche,** the Spanish version of *Malintzin*), who in spite of her high position among her own people had been sold into slavery by her ambitious stepfather. Doña Marina learned Spanish quickly and became the interpreter of Cortés. She had a son by him whom she named Martín Cortés.

[21] **. . . a los encomenderos . . .**

The land was divided into **encomiendas** (large tracts), and the Indians were required to work for the **encomendero** (landholder). If they resisted they were often killed or reduced to chattel slavery. Fray Bartolomé de Las Casas, aware of their torture and mistreatment, returned to Spain to plead their cause.

[22] **Aparentemente los bárbaros naturales llaman a la ciudad capital, además de Tenochtitlán, Méshico, o Mécsico, o Méjico, o cosa parecida.**

According to the traditions of the Aztecs, they were destined to found a city and a world empire on the spot where they should find an eagle, perched on a cactus, with a serpent in its claws. Fleeing from the Colhuans located to the south, they wandered for some time around the southwest part of Lake Texcoco, which is now the Valley of Mexico. Some priests came upon the place where the traitor Copil, king of Malinalco, was assassinated. When he was killed, his heart was removed and cast into a rocky place, and according to legend, a giant cactus had taken root in his heart, and upon the place was perched an eagle holding the serpent. The priests rejoiced in the omen and ordered the tribe to build a city on the exact spot in 1325. It was called Tenochtitlán, which means the Stone Cactus Place, and is now Mexico City. The confusion about the name of the capital expressed by the Minister is due not only to the fact that Europeans knew Tenochtitlán by its name of Mexico, derived from the name of the Indian war god *Mexitli*, but also because they knew that the Aztecs called themselves *Mexica.* It should also be remembered that even today the spelling used by Spain is **Méjico** rather than **México.**

[23]. . . **en Tlacopan, en Tlaxcallan, en Tlatelolco, en Atzcapotzálcotl, en Cuyuacán mismo, donde Cortés ha fijado su residencia; en Teotihuacán y . . .**

Tlacopan was a city located to the west of Tenochtitlán, whose people were allies of the Aztecs.

Tlaxcallan, now called Tlaxcala, became the home of the Tlaxcala nation after a battle with the Aztecs at Lake Texcoco in which the latter were defeated. When Cortés proceeded from Veracruz to the interior, he encountered no real opposition until he entered their territory. Although the Indians fought bitterly, they were no match for the cavalry, armor, and weapons of the Spaniards. They swore allegiance to Cortés and offered him assistance in the siege of the Aztec capital of Tenochtitlán.

Tlaltelolco was a flourishing city near Tenochtitlán.

Atzcapotzálcotl was the capital of the Tepanec state, situated to the north of Tenochtitlán. When the king of the Tepanecs was defeated, the Aztecs and Texcocans razed the city to the ground, and the site was converted into the principal slave market in the Valley of Mexico.

Cuyuacán (Coyacán) is located in the Federal District of Mexico. It was the first seat of Spanish government, established by Cortés in 1521. On the main square stood the Palace of Cortés, where it is said Emperor Cuauhtémoc was tortured in an attempt to obtain the treasure of the Aztecs. Here also Cortés is believed to have poisoned his first wife.

Teotihuacán was the largest city that flourished in the Valley of Mexico, whose ruins are located about 25 miles northeast of the capital of Mexico. The center of the city was made up of large temples, of which the most dominant was the Pyramid of the Sun about 216 feet high and covering almost 10 acres. Other monumental structures were the Pyramid of the Moon, 150 feet high, and the Temple of Quetzalcoatl, dedicated to the Feathered Serpent. It is believed that the city at one time had a population of at least 120,000.

[24]**Dios hizo primero el Verbo;**

The sentence comes from the Gospel of John, first verse: "In the beginning was the Word, and the Word was with God, and the Word was God."

[25]**A la inversa del Manco de Lepanto . . .**

Miguel de Cervantes (1547–1616), the greatest of Spanish writers and the author of ***Don Quixote,*** lost the use of his left hand in the Battle of Lepanto during the war of 1571 against the Turks and African corsairs.

[26]**Carlos V, Rey de España y Emperador de Alemania, Príncipe del Palatinado y Duque de Brabante, señor del Nuevo Mundo, emperador del Sacro Imperio Romano y jefe de la cristiandad.**

All of these are titles of Charles V who attempted to reconstruct the empire of Charlemagne.

[27]. . . **para darles ese perfil de medalla que imprimen las palabras sobre los hombres.**

The expression **perfil de medalla** is a literary figure corresponding to the idea that words can coin images, and images so coined suggest medals. Similar similes might be: "this man is a lion," or "this woman is an impregnable fortress."

[28]. . . **aunque dominador de la serpiente, del águila y del tigre cuyos nombres y símbolos ha adoptado como signos de jerarquía;**

Shortly after the Toltecs arrived in the Valley of Mexico, Quetzalcoatl, the god of the winds, symbolized as the Feathered Serpent, was believed to have assumed human shape and to have come to live with them. He was reputed to have had a white skin and a long beard. When he departed the Toltec empire because of the jealousy of a rival deity, famines and pestilences fell upon the tribe so grievously that many of them perished or moved away to the south. Quetzalcoatl had promised to return, and this tradition led to Montezuma's fatal hesitation in attacking Cortés which cost him his throne and his life.

One of the striking similarities between the European civilization and the Aztec was the institution of orders of knighthood. There were three orders: the Princes, the Eagles, and the Tigers. The mark of distinction of the Princes was the manner of dressing their hair. It was tied on the crown of the head with a red thong and worked into braids. The Eagles wore a type of helmet in the form of an eagle's head, and the Tigers wore a kind of armor, patterned like the skin of the tiger. Only nobles could hope to become members of the orders of Eagles and Princes, but the common soldiers could become Tigers.

[29]**Sahagún**

Fray Bernardino de Sahagún (1499–1590), Spanish Franciscan friar and historian, came to Mexico in 1529. He was the author of ***Historia General de las Cosas de Nueva España*** which he first wrote in Náhuatl and then later published in Spanish. It is considered to be the most outstanding and complete history of preconquest life in Mexico.

[30]. . . **y Benavente, a quien llaman Motolinía, que significa El Pobrecito;**

Fray Toribio de Benavente (?–1568), Spanish Franciscan friar, was a historian and the founder of a church in Cuernavaca. The Indians derisively called him **Motolinía** (poor, miserable). He arrived in Veracruz on May 23, 1524, and walked with his fellow Franciscans to the capital where they arrived on June 23. One of his best works, begun in 1536, ***Historia de los Indios de la Nueva España,*** is regarded as an authority on Aztec life and customs.

[31]. . . **y Alonso de la Veracruz . . .**

Fray Alonso de la Veracruz (1504–1584), Spanish Augustinian friar, taught at the **Colegio de Tiripitío** in the state of Michoacán. He was an erudite commentator on the Greek philosopher Aristotle and contributed greatly to the religious and intellectual progress of early Mexico.

[32]**. . . y Andrés de Olmos . . .**

Fray Andrés de Olmos, Spanish Franciscan friar, came to Mexico in 1524. He might be considered as the first philologist of the New World since as a linguist he compiled grammars and lexicons. He wrote a grammar in 1547, which was published in Paris in 1875, and a short play in Náhuatl entitled ***Auto del Juicio Final,*** which was performed many times between 1535 and 1548.

[33]**. . . y el de Las Casas . . .**

Fray Bartolomé de Las Casas (1474–1566), Spanish Dominican friar, whose father accompanied Columbus on his first voyage to the New World, was the Bishop of Chiapas and a historian of great merit. His ***Historia de las Indias*** is still considered a classic on the early life of New Spain. He made fourteen trips across the Atlantic to protest against the Spaniards' cruel treatment of the Indians and was referred to as the **Protector General de los Indios.**

[34]**. . . y el de Gante, de quien se dice que es tu hermano y que vale más que tú.**

Fray Pedro de Gante (1479–1572), Flemish Franciscan friar, founded many schools in Mexico, including the celebrated **Colegio de San Francisco** where for more than fifty years over a thousand indigent children were taught art, music, painting, dancing, religion, science, and various crafts. He also built a hospital, and among the some one hundred churches he erected was the magnificent church of San Francisco in Mexico City. His real name was Moere (or Muer), which he hispanicized to Mura. He was born twenty-one years before Charles V and two years after Philip the Handsome, the father of King Charles V, which disposes of the rumor that was circulated that Gante was the brother of the king.

[35]**. . . sois los apóstoles y los misioneros de Nuño de Guzmán.**

Captain Nuño de Guzmán conquered many parts of Mexico, including the states of Colima, Jalisco, Nayarit, Zacatecas, and Sinaloa. He was made governor in 1523 of the province of Pánuco, with Tampico as its capital. In 1532 he was sent from Guadalajara to subjugate the Indians of the district now called Durango. His incredible cruelty to the Indians caused a hatred toward the Spaniards which they were never able to overcome.

[36]**Progresar en la ciencia de Caín.**

The story of Cain, the eldest son of Adam and Eve and the brother of Abel, is related in Genesis IV. Because the Lord had respect for the offerings of Abel and none for those of Cain, the latter killed his brother in a fit of jealous anger. As a punishment he was forced to become a wanderer, and in order that he might not be slain, the Lord placed a mark upon him.

[37]**. . . porque España acabó con el moro infiel;**

The Moors invaded Spain in 711 from northern Africa and subdued virtually the entire country in only seven years. The Reconquest by the Christians became a great crusade and gathered momentum with the passing of centuries. Castile was regained from the Moors in the eleventh century, Córdoba in the thirteenth, and finally Granada, the last Moorish stronghold, in 1492.

[38]**. . . guarda las fiestas de los Reyes y de Corpus y de San Hipólito, patrono de la Nueve España . . .**

The **fiesta de los Reyes** (the Epiphany) is celebrated on January 6 to commemorate the manifestations of Jesus Christ as the son of God. In Mexico miracle plays about the Three Kings (or Magi) were performed with great splendor.

The **fiesta de Corpus Christi,** a movable feast day in the religious calendar, owes its origin to the Last Supper that Christ took on Holy Thursday with his disciples. It was celebrated in Mexico by religious processions, plays, pageants, and special masses.

San Hipólito (Saint Hippolytus), born probably in Rome during the second half of the second century, was a prolific ecclesiastical writer. According to legend, he was a Roman soldier who was converted by Saint Lawrence. His persecution and martyrdom under Maximinus the Thracian occurred around 235. It was on the thirteenth of August, 1521, the day of Saint Hippolytus — from this circumstance selected as the patron saint of Mexico — that the Spaniards besieging Tenochtitlán gained their victory over the Aztecs.

[39]**Por Santiago**

Por Santiago (For the glory of Saint James) was the battle cry of the medieval Spaniards on engaging with Moors and other infidels. *Santiago* is the patron saint of Spain, and the cathedral by that name in the province of Galicia, built in the ninth century, holds the remains of the saint, who, according to tradition, had preached in Spain and had requested his disciples to bury his body in Santiago de Compostela.

[40]**Cuando digo las voces alcázar . . .**

The list of Arabic words in Spanish is extensive and illustrates Spain's debt to Moslem civilization. The names of vegetables, fruits, plants, words used in the market, weights and measures, and currencies are mostly of Arabic origin. The names of games, music, pottery, jewelry, perfumes, parts of the house and many of its furnishings are also a part of the Arabic linguistic heritage of the Spanish language. Note that the Minister uses the word **ojalá** (God grant, would to God) from the Moslem invocation to Allah.

[41]**. . . ante mi Virgen predilecta, que es la Guadalupe . . .**
The image of the Virgin of Guadalupe of Extremadura was embroidered on the banners of the Spanish armies that fought the Moors. On the southeastern slopes of the Sierra de Guadalupe, in a small town by the same name, is the monastery founded by Alfonso XI, King of Leon and Castile, in 1340 after the victorious battle of **El Salado** against the Moors. The cloister of the monastery is decorated with large paintings illustrating the history and miracles of the venerated Virgin.

[42]**. . . Gerónimo Bosco, que tan bien entendía y pintaba la sombra del paisaje.**
Hieronymus Bosch **("El Bosco"),** 1450–1516, was a Flemish painter whose work was extremely modern in feeling. He was more interested in satirical themes than the usual subjects of European painting of his time. His works abound in extravagant imagery and haunting symbols. As an artist he called an end to the Middle Ages with such subjects as *The Temptation of St. Anthony*, *The Seven Deadly Sins*, and *The Ship of Fools*. In painting the landscape, Bosch seemed to hold intimate conversation with himself and gradually submerge into the very depths of his own unconscious.

[43]**Los siete por México**
This title of the second act is intended as a counterpoint as well as a literary allusion to *The Seven against Thebes*. A play by that name was produced in 467 B.C., probably the last play of the trilogy written by Aeschylus, on the theme of the Oedipus cycle. According to legend, all of the seven assailants against Thebes met their death except Adrastus of Argos.

[44]**Fray Juan de Zumárraga**
Fray Juan de Zumárraga (1468–1548), the first Bishop of Mexico, arrived in 1528. Pope Clement VII appointed him at the instigation of Charles V with the title of Bishop Elect and Protector of the Indians. He was responsible for the construction of the National Cathedral and the introduction of the first printing press in 1536. He was interested in the teaching of reading and was instrumental in establishing secondary schools for the Indians. He was from the Basque provinces in northern Spain, and like most Basques was reputed to be stubborn.

[45]**Fray Martín de Valencia**
The Franciscan Order, founded by Saint Francis of Assisi in 1208, was introduced into Mexico by twelve friars, sometimes called the Twelve Apostles of Mexico, from the Franciscan Province of San Gabriel, Spain. Their leader was the Superior of the Province, Fray Martín de Valencia, who often was known as the "Father of the Mexican Church." According to historians, with his own hands he destroyed more than 170,000 pagan idols as he tried to convert the Indians.

[46]**Don Vasco de Quiroga**

Don Vasco de Quiroga (1469–1565) was a prominent lawyer who was sent to Mexico by Charles V to redeem as far as possible the cruelties inflicted on the Tarascans and other tribes by the misguided Captain Nuño de Guzmán. Upon the request of the king, Quiroga took the holy orders and was very quickly elevated to bishop. Through tact and patience he finally won the confidence of the Indians and converted many of them to Christianity.

[47]**. . . que porta el hábito de los franciscanos *propaganda fide*. Se trata de Fray Martín — Martincillo — especie de secretario privado, *a látere* . . .**

The expression *propaganda fide* from the Latin means to spread the faith. *A látere* literally means **al lado de,** but in the figurative and familiar sense it refers to a person who constantly accompanies someone.

[48]**. . . y San Francisco el *usus pauper et tenuis* de los bienes.**

Saint Francis of Assisi, founder of the Franciscan Order, took the vows of poverty, chastity, and obedience. The Latin expression *usus pauper et tenuis* literally means meager and slight use, as far as worldly goods are concerned.

[49]**. . . danzando y saltando con meneos deshonestos y lascivos.**

This quotation and those immediately following are from the appendix, written by Fray Juan de Zumárraga himself, to the second edition (1544) of the ***Tratado de Dionisio Cartujano del Modo en que Deben Hacerse las Procesiones con Reverencia y Devoción.***

[50]**El consuelo de la fea.**

This is a proverbial expression used in Spanish when an ugly girl is praised because of some particular good point, like excellent health, good teeth, etc.

[51]**. . . se asemeja el conquistador español a la plaga de la viruela . . .**

It is believed that a Negro brought by the Spanish conqueror Pánfilo de Narváez was responsible for the smallpox epidemic that spread throughout Mexico in 1520. Among the thousands of victims was the emperor Cuitláhuac elected, on September 7, 1520, after the death of Montezuma, who died from the epidemic the same year. With his death, the Aztecs chose as emperor the twenty-five year old Cuauhtémoc.

[52]**. . . y a Camaxtle y a Huitzilopoxtli.**

Camaxtle was one of the gods worshiped in the region of Tlaxcalteca that resembled Huitzilopoxtli and was a variant of the latter in the tribal culture of the Tlaxcaltecans.

Huitzilopoxtli, god of war of the Aztecs, was the most venerated of the tutelary gods and was considered as the patron deity of the nation. The colossal image of basalt stone, half man and half woman, covered with crude carvings, was dug up near Chapultepec Castle in 1790, was then reburied to be dug up again in 1821, and transferred to the National Museum. According to historians, the number of sacrifices made to the idol was appalling, and it was believed that it drank the blood of the victims sacrificed to it.

[53]**¿Podéis decir Tzintzuntzan?**
Tzintzuntzan was an ancient Tarascan town and once the capital of the Tarascan Empire, about fourteen miles across the lake from the town of Pátzcuaro in the state of Michoacán. The remains of the old city are still visible in the form of *yacatas* (mounds) in which many idols made of volcanic stone have been found.

[54]**Una monja de la Segunda Orden. Una monja de Santa Clara.**
Saint Francis encouraged Saint Clare (1194–1253) of Assisi to establish a second order, one for women, in 1212. The **Clarisas** (Poor Clares) observed absolute poverty, like the Franciscans, and dedicated themselves to the care of the poor and sick.

[55]**. . . amamantado por la loba de la penumbra de pasados siglos?**
According to the legend, Romulus and Remus were the twin sons of the god Mars and Rhea Silvia, who was a daughter of Numitor, king of Alba. Amulius, who had usurped the throne of Numitor, ordered the twin boys to be thrown into the river, but the basket containing them was stranded at the foot of the Palatine Hill. A she-wolf heard their cries, carried them to her cave and suckled them. Romulus later became the mythical founder and first king of Rome.

[56]**. . . que son como la roca tarpeya . . .**
The Tarpeian Rock, forming part of the Capitoline Hill in Rome, was the place over which persons convicted of treason were hurled. According to tradition, it was so named after *Tarpeia*, a vestal virgin of Rome, the daughter of the governor of the citadel on the Capitoline. Covetous of the golden bracelets worn by the Sabine soldiers, she opened the gate for them on the promise of receiving what they wore on their left arm. Once inside the gate they threw their shields upon the virgin, crushing her to death, and then they buried her at the base of the Tarpeian Rock.

[57]**¡Una Tonantzin, ay!**
In the Aztec mythology, *la Tonantzin* was the mother of the gods. The Totonacas, who particularly venerated her, built a temple in her honor three miles north of Mexico City where now stands the Basilica of Guadalupe. They believed that, instead of human sacrifices, she preferred those of birds, rabbits, and other animals.

[58]. . . **he pensado siempre en la necesidad de organizar representaciones sacras . . .**

Motolinía is referring to the **auto sacramental,** a liturgical one-act play dealing with the theme of the Eucharist, which was performed in the public squares of Spanish towns on Corpus Christi Day. The subjects were generally of a religious, mythical, or historical nature.

[59]. . . **quizás en unas como a modo de *Florecillas* en acción . . .**

The ***Florecillas*** or *Fioretti* of Saint Francis of Assisi form a Franciscan text of the late fourteenth century and are perhaps the collected memoirs of these monks in a legendary form not far removed from the novels of knighthood of the time. They describe with simplicity and charm the life of Saint Francis and the first brethren of the Order, but their mysticism is actually close to illuminism. Motolinía suggests that the performance of the "miracle" could be something like a type of dramatization of the ***Florecillas.***

[60]**Pero siento algo, hermanos. (*Adelantándose, sin saberlo, a Galileo nonato*)**

Fray Pedro de Gante is unaware that the expression is one that Galileo Galilei (1564–1642), the distinguished Italian philosopher and astronomer, will coin much later: *E puor si muove* (And nevertheless, it moves), referring to the earth. When Galilei was nineteen years old, the swinging of a lamp in the cathedral in Pisa led him to investigate the laws of oscillation of the pendulum. He made the important discovery of the law regulating the motion of falling bodies and the rotation of the sun.

[61]. . . **a la manera de aquella deidad profana del latino que miraba a la vez hacia atrás y hacia adelante.**

Janus, an ancient Roman god, after whom the first month of the calendar was named, was held in great reverence by the Romans as the guardian of doors and gates. He was usually represented with two bearded faces, one looking forward, the other backward.

[62]. . . **pues está nuestra Santa Fe tan fundada por millares de milagros como tenemos en el Testamento Viejo y Nuevo."**

This quotation and the one that follows come from ***Regla Cristiana,*** printed in Mexico City in 1547, a book that was compiled, examined, and approved by Fray Juan de Zumárraga.

[63]. . . **la dulzura del Pobrecito de Asís con el propio lobo.**

Saint Francis of Assisi loved life and God's creatures, and he spoke to birds, animals, and flowers, asking them to do all they could to honor their Maker. It is told that a wolf came to him and took refuge under his robe. Men and beasts alike loved him, for they felt that he looked on them as his brothers and sisters.

[64]**. . . pudiéramos dar al indio un poco de pan y un poco de circo y salvar así nuestras almas.**

In ancient times, Rome and other cities had large groups of people without employment or means, who lived mainly from bounty or assistance given them by the government. This part of the populace caused the government concern since they were often responsible for riots. Therefore, the government tried to relieve their needs by donations or distributing food either free or at low prices. At the same time an attempt was made to distract them with games, festivals, races, theatrical performances, and gladiatorial tests. By so doing they instituted the formula of *panem et circenses* (bread and the games), of which the poet Juvenal (60–140) so often speaks in his satiric verses.

[65]**. . . porque esto es un a modo de Camino de Damasco, veis.**

Saint Paul (original name, Saul) was the great apostle to the Gentiles. As related in the Book of Acts, "And Saul, yet breathing out threatenings and slaughter against the disciples of the Lord, went unto the high priest, and desired of him letters to Damascus to the synagogues . . ." He was miraculously converted while on his way to Damascus, and he became a powerful preacher and the greatest expounder of Christianity. He established churches in Syria, Cyprus, Asia Minor, Macedonia, and Greece, and his epistles to the many churches form a large section of the New Testament.

[66]**Pero las montañas del centro de España son llamadas de Guadalupe . . .**

The mountain range that extends from the center of Spain into the region of Extremadura is called the Sierra de Guadalupe, named in honor of the Virgin of Guadalupe.

[67]**. . . y por la Virgen nombró así Colón a las dos islas que descubrió en las Indias Occidentales.**

Columbus discovered what is now the French West Indian colony of Guadeloupe which consists of two islands. The western and larger portion is Basse-Terre, or Guadeloupe proper, and the eastern part is called Grand-Terre. After belonging at various times to the English and the French, these islands were ceded to France in 1814.

[68]**Sin pico ni pala.**

Although the expression literally means "without a pick or shovel," Fray Martín de Valencia is suggesting that God opens his own furrows or roads in the spirit of men without requiring a pick or a shovel, that is, without needing material objects.

[69]**Que no se dirá ya sólo Nínive y Babilonia, Sodoma y Gomorra . . .**

Nineveh, a Biblical city noted for its sinfulness, was on the Tigris River in ancient Assyria. Babylon, a Mesopotamian city, was the capital of the Empire of Babylonia and was notorious for its immorality and luxury. Sodom and Gomorrah were Biblical cities that were destroyed by fire from heaven because of their depravity, as explained in the Book of Genesis.

[70]**. . . en un lugar yermo, hacia el sur, que nombramos el pedregal de San Angel . . .**

The **pedregal** (stony place) is a basaltic lava field south of San Angel, now a part of the Mexican capital. It is believed that the lava poured from the crater of the volcano Ajusco at some remote period prior to the arrival of the Toltecs who entered the Valley of Mexico at the end of the sixth century. The terrain is desert-like, and in some places the lava stone is almost twenty feet thick.

[71]**. . . el día de San Silvestre, el 31 de diciembre.**

Saint Sylvester I was the Pope from 314 to 335 during the time of the Roman emperor Constantine, surnamed *The Great* (274–337). His saint's day is celebrated on the thirty-first of December.

[72]**. . . que ha abandonado su real de Coyoacán para honraros con su visita.**

Cortés actually had only two palaces in Mexico: a residence at the northwest corner of the **Zócalo** (Main Square) of Mexico City, which is now occupied by the **Monte de Piedad** (government pawnshop), and a palace in Cuernavaca, some 123 miles south of the capital. The author in his **Segundo Prólogo** to the play points out that because of the theatrical time element, the trip from Cuernavaca would require too much time, and the distance from the palace on the **Zócalo** to the Bishop's Palace would be a matter of a few minutes. Therefore, in order to conserve the time element, he chose antihistorically to place a residence of Cortés in nearby Coyoacán, about six miles from the headquarters of Bishop Zumárraga.

Ejercicios

I. Páginas 17/1–23/11

A. *Escríbanse sinónimos de las palabras siguientes:*

1. fundar
2. situar
3. sólo
4. especie
5. figurarse
6. alrededores
7. ambos
8. instante
9. asemejarse
10. a menudo

B. *Escríbanse antónimos de las palabras siguientes:*

1. atardecer
2. fuera de
3. alto
4. joven
5. adelantarse
6. placer
7. aguardar
8. sombra
9. paz
10. comprar

C. *Escríbanse oraciones originales empleando las expresiones siguientes de tal modo que se revele el significado de la expresión:*

1. a la vez
2. de pronto
3. pensar en
4. dar un paseo
5. a cambio de
6. darse cuenta de que
7. gozar de (en)
8. acabar de
9. tener suerte
10. abrirse paso

D. *Escríbase el tiempo presente del indicativo de los verbos que están escritos en bastardillas:*

1. Carlos V *seguir* esta ruta para hacerse coronar emperador de los romanos.
2. El aldabón *resonar* como una sucesión de cañonazos.
3. El fraile *dirigirse* al enorme portón.
4. Yo *saber* que el Emperador *estar* en el monasterio.
5. El único rey que yo *conocer* es el de la capilla.
6. Yo *oir* muchas cosas que no *entender*.
7. El prior *retener* las monedas y *volverse* hacia el cardenal.
8. El Rey *asemejarse* mucho a sus mejores retratos.
9. Ellos *cerrar* el portón tras el cardenal y el fraile.
10. ¿Por qué *decir* usted tan a menudo esa frase?
11. Dejadnos ahora, yo os *rogar*.
12. Nosotros *ir* a aguardar a la púrpura.
13. Yo no *ver* más casa que ésta.
14. ¿Adónde *querer* usted llegar?
15. Los monjes no *poder* permitir visitas a cambio de limosnas.

E. *Contéstense las preguntas siguientes con oraciones completas:*

1. ¿Dónde tiene lugar la acción del primer acto?
2. ¿En qué año ocurre la acción?
3. ¿Por qué está Carlos V en la región de Extremadura?
4. ¿Qué puede percibirse al fondo de las arcadas?
5. ¿Cómo resuena de repente el aldabón?
6. ¿Quién se dirige al portón para entreabrir el ventanillo?
7. ¿Cómo suena el rosario al ritmo de sus pasos?
8. ¿A quién busca el ministro?
9. ¿Por qué pide el prior que el portero abra el portón?
10. ¿Quién entra con el ministro?
11. ¿Quién es el único emperador que conoce el prior?
12. ¿Quién entra al sonar otro aldabonazo?
13. ¿Qué había visto el ministro cerca del monasterio?
14. ¿De qué ciudad habían salido el cardenal y el ministro?
15. Según el prior, ¿a quién solamente se abre la puerta del monasterio?
16. ¿Quiénes son los únicos que han entrado en el monasterio esta tarde?
17. ¿Por qué tiene que devolver las monedas de oro el portero, según el prior?
18. ¿Cómo vienen ambos, Carlos V y su esposa Isabel?
19. ¿Cómo está vestido el Rey?

20. Además de ser el padre de la cristiandad, ¿de qué es el padre Carlos V?
21. ¿Por qué dice tan a menudo: — ¡Ay, Jesús! — ?
22. ¿Cómo descubre el paisaje de Extremadura?
23. ¿Cómo descubre el monasterio?
24. ¿Por qué le devuelve el prior su dinero?
25. ¿Por qué dice Carlos que él es sólo un poco de polvo para Dios?

F. *Identifíquense estos nombres con una oración completa:*

1. Carlos V
2. Isabel de Portugal
3. Juana la Loca
4. San Jerónimo de Yuste
5. Francisco I
6. Lutero
7. Enrique VIII
8. Felipe II
9. La Inquisición española
10. Benedicto XIII

II. Págs. 23/12–32/14

A. *Escríbanse sinónimos de las palabras siguientes:*

1. reposo
2. cansado
3. resolver
4. por cierto
5. quedarse
6. ocurrir
7. lugar
8. cuestión
9. idioma
10. únicamente

B. *Escríbanse antónimos de las palabras siguientes:*

1. de noche
2. siempre
3. nuevo
4. pereza
5. cobardía
6. estupidez
7. fuerza
8. ajeno
9. equivocarse
10. parecidos

C. *Escríbanse oraciones originales empleando las expresiones siguientes de tal modo que se revele el significado de la expresión:*

1. estar a caballo
2. dormir al sol
3. depender de
4. a medio viaje
5. dejar de ver
6. afines con

7. consistir en
8. tener más a mano
9. ponerse a escuchar
10. venir a matacaballo

D. *Escríbanse las oraciones siguientes empleando la palabra que sea necesaria:*

1. Fernando —— Isabel pusieron el dinero.
2. Ellos tratan —— reinar sobre el indio.
3. No existe más que el Nuevo Mundo pese —— ese charlatán.
4. No hay —— olvidar el problema.
5. Colón creía seguir —— Marco Polo.
6. Ellos quieren acabar —— el poder temporal de la Iglesia.
7. La medicina mata —— menudo a un enfermo.
8. Ustedes deben pensar —— el pobre Colón.
9. ¿Qué es esto que acabo —— saber?
10. Por una vez estamos —— acuerdo.

E. *Contéstense las preguntas siguientes con oraciones completas:*

1. ¿Qué tiene que hacer Carlos en vez de disfrutar del aire de la tarde?
2. Según él, ¿qué es lo que resolverá todo?
3. ¿A qué se¿edicará el pueblo de España al saber del decreto real?
4. ¿Qué problemas habría resuelto el ministro en Valladolid?
5. ¿Por quiénes fueron descubiertas la América Septentrional y la América Meridional?
6. ¿Qué opina Carlos de Amérigo Vespucio?
7. ¿Cómo piensa llamar a esta tierra? ¿Por qué?
8. Según el ministro, ¿quiénes pusieron el dinero?
9. ¿Qu hacen las reinas respecto al dinero, según el Rey?
10. ¿Por qué dice el ministro que Colón era ignorante?
11. ¿Qué es más difícil que descubrir un continente, según Carlos?
12. ¿A qué se refiere el ministro cuando dice que se somete al nombre inventado por Waldseemüller?
13. ¿Quiénes más van a efectuar exploraciones en el Nuevo Mundo?
14. ¿Cómo justifica el Rey que es un monarca absoluto?
15. ¿Por qué no pueden asumir responsabilidad alguna sus ministros?
16. ¿Por qué es Carlos el monarca que más ha dilatado el círculo de familia, según el ministro?
17. ¿Por qué no quiere establecer Carlos una alianza de familia con Lutero?
18. ¿A qué se refiere el ministro al hablar de Maquiavelo?
19. ¿Qué había preguntado el Papa Clemente VII a Carlos?
20. ¿A qué se refiere el ministro cuando habla de las cartas de Cortés?

21. ¿Cómo critica el ministro a los conquistadores españoles?
22. ¿Con quién se unió Cortés, según el ministro?
23. ¿Cómo se conducen los misioneros en el Nuevo Mundo, según el Rey?
24. ¿Quiénes son los únicos religiosos que no hacen política romana?
25. ¿Cuáles son las armas del misionero?
26. ¿Por qué ha venido el cardenal a Cáceres?
27. ¿Cómo llaman los naturales de la Nueva España a su capital?
28. Según el ministro, ¿qué practica el español a hablar bien todos los idiomas?
29. ¿Cómo son los informes de la Nueva España que ha recibido el cardenal?
30. Según el ministro, ¿qué harían los españoles si los indios desaparecieran?
31. ¿En qué punto no están de acuerdo el cardenal y el ministro respecto al indio?
32. ¿Qué opina el ministro en cuanto al cuerpo del indio?
33. ¿Cómo critica el ministro a la Iglesia al recordar que Dios hizo primero el Verbo?
34. Según el ministro, ¿qué será lo más sencillo que haga el Rey?

F. *Identifíquense estos nombres con una oración completa:*

1. Isabel y Fernando
2. Marco Polo
3. Cortés
4. Amérigo Vespucio
5. Pizarro
6. Alvarado
7. Maquiavelo
8. Doña Marina
9. Tenochtitlán
10. Teotihuacán

III. Págs. 32/15–40/13

A. *Escríbanse sinónimos de las palabras o expresiones siguientes:*

1. rapidez
2. oculto
3. simultáneamente
4. en seguida
5. poderoso
6. adular
7. habitar
8. principiar
9. a causa de
10. temor

B. *Escríbanse antónimos de las palabras siguientes:*

1. limpio
2. presencia
3. levantarse
4. izquierdo
5. mayor
6. apagar
7. bajar
8. débil
9. triunfo
10. héroes

C. *Escríbanse oraciones originales empleando las expresiones siguientes de tal modo que se revele el significado de la expresión:*

1. de ningún modo
2. en todo caso
3. volver al frente
4. hacer trampa
5. acabar con
6. estar de acuerdo
7. hacer memoria
8. llegar a ser
9. día tras día
10. de antemano

D. *Escríbase el tiempo imperfecto o pretérito de los verbos que están escritos en bastardillas, explicando las razones de su uso:*

1. Los dos *volver* al frente sin mirar hacia atrás.
2. Carlos *darse* cuenta de la confusión.
3. El emisario *poner* una rodilla en tierra.
4. El siempre *jugar* sucio.
5. Ellos *construir* la Iglesia de Dios con el oro y la plata.
6. ¿Qué le *decir* ellos ayer?
7. El *decir* que los indios *ser* salvajes.
8. Día tras día ellos *realizar* su obra de misericordia.
9. Los Reyes Católicos *fundar* la Inquisición española.
10. ¿Adónde *ir* los franciscanos en 1524?
11. ¿Qué *hacer* usted cuando yo *llegar?*
12. No *haber* más que cinco hombres en el monasterio.
13. ¿Qué hora *ser* cuando usted *venir?*
14. El Rey siempre *querer* el consejo de su esposa.
15. ¿Qué *traer* los conquistadores al Nuevo Mundo?

E. *Contéstense las preguntas siguientes con oraciones completas:*

1. ¿Por qué dice el cardenal que le han hecho trampa?
2. Según el ministro, ¿quién juega sucio?
3. ¿A quién pide el Rey que llame el cardenal?
4. ¿Por qué se dice que el emisario está a la inversa del Manco de Lepanto?

5. ¿Dónde perdió el brazo el emisario?
6. ¿Qué títulos usa el ministro al presentar el fraile a Carlos V?
7. ¿Cómo prefiere saludar el fraile al Rey? ¿Por qué?
8. Según el fraile, ¿qué tiene de alemán el Rey?
9. ¿Quién envía el fraile al Rey?
10. ¿Por qué no comprende el Rey la palabra en español que usa el ministro?
11. ¿Por qué llama a veces toreros a los nobles?
12. ¿Por qué habita más en los reyes el diablo, según el cardenal?
13. ¿Qué le dice el corazón al Rey?
14. ¿Por qué sufre el ejército español en el Nuevo Mundo, según el emisario?
15. ¿Qué símbolos ha adoptado el indio como signos de jerarquía?
16. ¿Cómo considera el indio a los caballos de los conquistadores?
17. ¿Cómo recibió el indio a los españoles?
18. ¿Qué han hecho los hombres de la Iglesia en México, según el emisario?
19. ¿Qué armas son las de los débiles y cobardes?
20. ¿Qué enemigos no pueden dominar los españoles?
21. ¿Por qué es difícil cultivar la semilla de Dios en el hombre, según el fraile?
22. Según Carlos, ¿cómo habla el fraile?
23. ¿Por qué crearon la Inquisición Isabel y Fernando?
24. ¿Qué piensa el ministro de las acciones del Santo Tribunal de la Fe?
25. ¿Por qué dice el fraile que un misionero es un físico de las almas?
26. ¿Por qué, según él, tienen que luchar contra lo que hay de malo en los conquistadores?
27. En vez de la Iglesia, ¿quiénes tienen la culpa de lo que ocurre en México?
28. ¿Qué quieren hacer los apóstoles y misioneros de Nuño de Guzmán, según el fraile?

IV. Págs. 40/14–48/22

A. *Escríbanse sinónimos de las palabras o expresiones siguientes:*

1. infiel
2. es menester
3. perecer
4. acaso

5. voces
6. predilecto
7. hábil
8. a solas
9. al cabo de
10. listo

B. *Escríbanse antónimos de las palabras o expresiones siguientes:*

1. vivo
2. quitar
3. dulce
4. jamás
5. peor
6. costoso
7. difícil
8. hacia abajo
9. recordar
10. rápidamente

C. *Escríbanse oraciones originales empleando las expresiones siguientes de tal modo que se revele el significado de la expresión:*

1. ser de buena pasta
2. de una vez
3. al menos
4. disfrazarse de mujer
5. tener en mucho
6. ponerse en ridículo
7. tener razón
8. no poder más
9. echar una mirada
10. ponerse en oración

D. *Escríbanse los imperativos de los verbos que están escritos en bastardillas:*

1. No *dejar* Ud. morir a los indios.
2. *Pedir* Ud. permiso a sus padres.
3. *Ponerse* Uds. en oración.
4. *Explicar* Ud. su contestación.
5. *Llegar* Ud. a tiempo.
6. *Volver* Uds. con sus amigos.
7. No *ir* Uds. tan pronto.
8. *Buscar* Ud. el lugar.
9. No *ser* Uds. tontos.
10. *Dirigirse* Ud. al portón.

E. *Escríbase el modo subjuntivo de los verbos que están escritos en bastardillas, explicando las razones de su uso:*

1. Ojalá que él no lo *saber*.
2. Espero fervientemente que *ser* la verdad.
3. Es preciso que la fe no *perecer*.
4. Voy a pedir a la Virgen que le *ayudar*.
5. El portero ruega que él *salir*.
6. Siento muchísimo que ellos no *poder* nada.

7. Voy a esperar aquí hasta que ellos *levantarse*.
8. ¿No quiere usted que yo le *pagar*?
9. No estoy seguro de que ellos *tener* razón.
10. Puede ser que *comenzar* a llover.

F. *Contéstense las preguntas siguientes con oraciones completas:*

1. ¿Qué quiere decir el fraile al hablar de progresar en la ciencia de Caín?
2. Según él, ¿qué pasará si las cosas siguen así?
3. ¿Por qué dice el emisario que cree en España?
4. ¿En qué cosas ve a Dios?
5. ¿Qué ve el fraile en los hombres que buscan tesoros?
6. Según él, ¿cómo es el indio?
7. ¿Quiénes le impiden ver a Dios y lo hacen embriagarse?
8. Según el emisario, ¿cómo eran las procesiones que había visto?
9. ¿De quién es Dios, según el cardenal?
10. ¿Qué opina el Rey respecto a eso?
11. ¿Cómo es el consejo de la mujer, según Isabel?
12. ¿Por qué dice que todos los hombres son como niños?
13. ¿Qué quiere decir el ministro cuando explica que España está en peligro políticamente?
14. Según el cardenal, si el Nuevo Mundo se pierde para la fe, ¿qué va a ocurrir?
15. ¿Quiénes le envidian a Carlos V la posesión del Nuevo Mundo?
16. ¿Cómo eran los moros, según el Rey?
17. ¿Por qué duda el ministro que hayan acabado los españoles con el moro?
18. ¿Cómo tratan los españoles a sus esposas, según el ministro?
19. ¿Qué le dicen al cardenal los misioneros que componen los vocabularios?
20. ¿Ante qué Virgen va a ponerse en oración la Reina? ¿Por qué?
21. Según el ministro, cuando Dios no puede bajar a la tierra, ¿a quién es mejor enviar?
22. ¿Cómo es el conquistador Cortés, según el fraile?
23. ¿Quién es el primero que menciona un milagro como el mejor camino?
24. ¿Qué consejos contradictorios le han dado todos al Rey?
25. Antes de salir la Reina, ¿qué le pregunta su esposo?
26. ¿A quién recuerda el Rey al contemplar el convento y el paisaje? ¿Por qué?

27. ¿Quién fija el lugar de nuestra muerte?
28. ¿Dice la verdad Carlos V cuando anuncia: — Quizás vendré a morir aquí algún día — ?
29. ¿Adónde va la Reina en la carroza real?
30. ¿En qué piensa el Rey al caer el telón?

V. Págs. 49/1–57/32

A. *Escríbanse sinónimos de las palabras siguientes:*

1. minúsculo
2. privado
3. habitación
4. detestar
5. orar
6. elegir
7. necio
8. danzar
9. ademán
10. avisar

B. *Escríbanse antónimos de las palabras siguientes:*

1. ascenso
2. vacío
3. negativamente
4. blancura
5. largo
6. nunca
7. delgado
8. asentir
9. pobreza
10. lentitud

C. *Escríbanse oraciones originales empleando las expresiones siguientes de tal modo que se revele el significado de la expresión:*

1. conocer la cantilena
2. como de costumbre
3. menos que de costumbre
4. dar por
5. poner coto a
6. a pesar de
7. a su pesar
8. estar de mal humor
9. según parece
10. a media voz

D. *Sustitúyanse las palabras escritas en bastardillas con los debidos pronombres personales, haciéndose los otros cambios que sean necesarios:*

1. El Obispo llama *a Martincillo* a su despacho.
2. Dios no hace *a los charlatanes.*
3. Usted no conoce *el límite de mi paciencia.*
4. Martincillo tiene que volver a levantar *su hábito.*

5. No entiendo *lo que él dice.*
6. El hojea *el libro* mientras habla.
7. ¿Cuándo voy a ver *a la Reina Isabel?*
8. El está anotando *algo* en el libro.
9. No me explique usted *el problema.*
10. Diga usted *la verdad al Rey.*
11. Dios nos trajo aquí para mostrar *el Paraíso a los naturales.*
12. Fray Juan está escribiendo *una carta al Rey.*
13. Hay que educar *al indio* ante todo.
14. Los indios no van a perdonar *a los conquistadores.*
15. El dio *el mensaje al misionero.*

E. *Sustitúyanse las palabras escritas en bastardillas con los debidos pronombres personales en las siguientes oraciones, y después escriban las frases en el imperativo afirmativo y negativo:*

1. Mirar Ud. *las procesiones.*
2. Contestar Uds. *a las preguntas.*
3. Buscar Uds. *la solución.*
4. Interrogar Ud. *al fraile.*
5. Hacer Uds. *el trabajo* ahora.
6. Educar Uds. *al indio.*
7. Enseñar Uds. *la doctrina a los naturales.*
8. Dar Ud. *el pan a los pobres.*
9. Pedir Ud. *permiso al Obispo.*
10. Explicar Ud. *la cuestión al prior.*

F. *Contéstense las preguntas siguientes con oraciones completas:*

1. ¿Cuál es el significado del título del acto segundo?
2. ¿Cuánto tiempo pasa entre el primer acto y el segundo?
3. ¿Dónde tiene lugar la acción del acto segundo?
4. Descríbase a Fray Juan de Zumárraga.
5. ¿Quién es Martincillo?
6. ¿Qué hay en la taza que está en la bandeja?
7. ¿Qué hace Martincillo con el pan?
8. Según él, ¿qué les recomienda San Francisco?
9. ¿Por qué está de mal humor el Obispo?
10. ¿De qué parte de España es?
11. ¿Qué opina del quemar al indio?
12. ¿Quiénes van a ayudarle para considerar a todos seres humanos?
13. ¿Quiénes están afuera para hablarle?

14. ¿De qué asunto quieren hablar?
15. ¿Quién escribió las frases que comienza a citar Fray Juan?
16. ¿Cómo danzan los indios en sus procesiones?
17. ¿Bajo qué condición pueden hacer la procesión de Corpus Christi?
18. ¿Cómo era el viaje de Motolinía de Tlaxcallan?
19. ¿De qué Orden es el prior Las Casas?
20. ¿De qué está llena su figura?
21. ¿Cuál es la mayor de todas las vanidades de Motolinía, en la opinión de Las Casas?
22. Según Martincillo, ¿qué debe de hacer Fray Juan?
23. ¿Cómo se llama el libro que escribe Motolinía?
24. ¿Qué se propone referir en el libro?
25. ¿Cuándo dará por terminada la historia?
26. Según Las Casas, ¿cuál es la prueba más clara de la existencia de Dios en el hombre?
27. ¿Quién fue el jefe original de los doce misioneros franciscanos?
28. Descríbase a Fray Martín.
29. Cuando habla de llegar antes "a otra ribera", ¿a qué se refiere?
30. Según Las Casas, ¿cómo muere uno en España y en México?
31. ¿Por qué va Fray Martín a España?
32. ¿Qué ha hecho Nuño de Guzmán, según el fraile dominico?
33. En la opinión de Fray Martín, ¿de qué se apoderan los conquistadores?
34. ¿Por qué hay que educar al indio, según Motolinía?

VI. Págs. 58/1–66/14

A. *Escríbanse sinónimos de las palabras o expresiones siguientes:*

1. fiera
2. daño
3. refrigerio
4. hondo
5. extrañeza
6. hacer la señal de la cruz
7. afán
8. batallar
9. mandamientos
10. apoyo

B. *Escríbanse antónimos de las palabras siguientes:*

1. desnudo
2. nacer
3. sencillez
4. claridad

5. entrada
6. empezar
7. aumentar
8. diferencia
9. diabólico
10. obedecer

C. *Escríbanse oraciones originales empleando las expresiones de tal modo que se revele el significado de la expresión:*

1. no estar en sí
2. tener presente
3. dar las gracias
4. llegar a lengua
5. por bien sabido
6. contar con
7. permanecer de pie
8. meter mano en
9. hacer presa
10. estar loco de atar

D. *Escríbanse las oraciones siguientes empleando la palabra que sea necesaria:*

1. ____ escuchar su voz, todos ____ demás se vuelven.
2. El va ____ pedir perdón ____ Papa.
3. El portero no tiene seis monedas ____ nueve.
4. Empiezo ____ creer que el demonio habita en España.
5. ____ náhuatl es difícil para un español.
6. La pausa está llena ____ extrañeza.
7. Don Vasco gritó: ¡Alabado ____ Dios!
8. Veo un hombre vestido ____ marrón.
9. Creo que sí podrían servir ____ mucho.
10. ____ eso he querido consultar con ustedes.

E. *Escríbase el tiempo futuro de los verbos que están escritos en bastardillas:*

1. Pero yo *hablar* en sentido figurado.
2. Esta vez *ser* cosa diferente.
3. Yo *tener* que apostar mi hábito.
4. *Haber* castigo a pan y agua.
5. Nosotros *querer* darle las gracias por todo.
6. ¿Qué *hacer* el Rey en el Nuevo Mundo?
7. Ellos *salir* del monasterio a las siete de la noche.
8. El no *poder* pronunciar los nombres indios.
9. ¿Qué *saber* yo de los ritos de los paganos?
10. ¿Qué *decir* el fraile en este momento de prueba?

F. *Contéstense las preguntas siguientes con oraciones completas:*

1. Según Martincillo, ¿cómo está paseando Fray Juan? ¿Por qué?
2. ¿Por qué cree que el Obispo no está en sí?

3. ¿Quién está más cerca de Fray Juan?
4. ¿Qué le ocurre, según Las Casas?
5. ¿Cómo le llama el Obispo a Martincillo?
6. ¿Qué quiere decir Martincillo cuando dice: "El consuelo de la fea"?
7. ¿Qué no debe hacer cuando lleguen Don Vasco y Sahagún?
8. Según Pedro de Gante, ¿por qué no desmayará el Obispo?
9. ¿Por qué querría ser el rey Pedro de Gante?
10. ¿Qué quiere hacer a diario Fray Juan en México?
11. ¿A qué se asemeja el conquistador español?
12. ¿Quién es Vasco de Quiroga?
13. ¿Quién nunca llegará a lengua? ¿Por qué?
14. ¿Por qué es insondable el tarasco?
15. ¿Por qué ha convocado a los hermanos Fray Juan?
16. ¿Cómo le contestan al Obispo?
17. ¿Adónde quiere retirarse Fray Juan?
18. ¿Qué promesa solemne les pide el Obispo?
19. ¿A quién ven los frailes en el patio?
20. ¿De dónde es el jardinero?
21. ¿Quién más está al fondo?
22. Según Las Casas, ¿qué no deben hacer las mujeres?
23. Mientras todos se sientan, ¿por qué va Fray Juan a las dos puertas?
24. En la opinión del Obispo, ¿por qué fueron traídos los religiosos a las Indias?
25. ¿Por qué han batallado a diario contra el español?
26. ¿En qué consiste la tarea de los españoles en la Nueva España, según Fray Juan?
27. ¿Qué le ordena Carlos V por su emisario de boca?
28. ¿Cuál es el efecto de la noticia sobre los presentes?
29. ¿Cuál va a hacer la tarea del jardinero?
30. ¿Cómo es la monja clarisa?
31. Si el Obispo se retira de México, ¿a quién va a mandar el Emperador?
32. ¿Cómo va a luchar el Obispo contra las órdenes de Carlos?

VII. Págs. 66/15–75/24

A. *Escríbanse sinónimos de las palabras siguientes:*

1. delito
2. sacro
3. aves
4. retorno

5. padecer
6. alterar
7. obstinado
8. pensativo
9. tentativa
10. aldea

B. *Escríbanse antónimos de las palabras siguientes:*

1. duro
2. bondad
3. maléfico
4. atrás
5. infierno
6. bendecir
7. remoto
8. acercarse
9. simplificado
10. rehusar

C. *Escríbanse oraciones originales empleando las expresiones siguientes de tal modo que se revele el significado de la expresión:*

1. cumplir con
2. poner a prueba
3. dar la espalda
4. es hora de que
5. en cuanto a
6. en rigor
7. en efecto y razón
8. valer la pena
9. por favor
10. tener que ver con

D. *Escríbase el tiempo condicional de los verbos que están escritos en bastardillas:*

1. Fray Juan nos *hablar* de la firmeza del misionero.
2. La voz de Dios *ser* más fuerte que la del Emperador.
3. Yo no *saber* tampoco qué decir.
4. Esto *poner* a prueba la bondad de la tierra.
5. Yo mismo no *poder* evitarlo.
6. Este mundo *tener* que aceptar el milagro.
7. ¿Qué *decir* el Pobrecito de Asís?
8. *Valer* la pena estudiar más el dilema.
9. ¿No *querer* nosotros acaso esa perfección milagrosa para el indio?
10. Ellos no *salir* tan temprano.

E. *Complétese el grupo siguiente de palabras:*

Verbos	Nombres	Adjetivos
1. blasfemar	______	______
2. ______	muerte	______
3. ______	______	pensativo
4. mentir	______	______
5. ______	duda	______
6. ______	______	temeroso

7.	clarificar	______	______
8.	______	sabiduría	______
9.	______	______	triunfante
10.	limpiar	______	______

F. *Contéstense las preguntas siguientes con oraciones completas:*

1. ¿Qué quiere decir Fray Sahagún cuando exclama: — ¡Una Tonantzin, ay! —?
2. ¿Cómo solía pensar Pedro de Gante en Carlos V?
3. ¿Cómo se siente Fray Motolinía al oir la noticia?
4. ¿Qué temas típicos de las representaciones sacras menciona él?
5. ¿Cómo eran las *Florecillas?*
6. ¿Qué dice Vasco de Quiroga que muestra que es un hombre práctico?
7. ¿Qué piensan los indios de sus ídolos destruidos?
8. ¿Cómo se adelanta Pedro de Gante, sin saberlo? ¿Por qué?
9. ¿Por qué cree Fray Martín que los misioneros no pueden retirarse de México?
10. ¿Para qué ha enviado emisarios a ver al Rey?
11. ¿A qué se refiere al hablar de la deidad profana del latino?
12. Según él, ¿qué es lo que el hombre no pidió a Dios?
13. ¿De qué libro es la citación de Fray Juan: — ya no quiere el Redentor del Mundo que se hagan milagros . . .?
14. ¿Cómo es "la vida perfecta de un cristiano"?
15. Según Fray Martín, ¿cómo son las convicciones de Fray Juan?
16. ¿Cuál es el criterio al cual no puede abandonar el Obispo?
17. ¿Adónde llevan todos los caminos, según Fray Martín?
18. ¿Por qué deja Dios que los hombres cometan errores?
19. En la opinión de Las Casas, ¿qué deben rehusar a hacer los misioneros?
20. ¿Cómo pueden salvar las almas de los indios, según Fray Juan?
21. ¿Qué hacen los ídolos de los indios, según Sahagún?
22. ¿Qué lugar es la Ciudad Eterna de la Fe desde hace siglos?
23. ¿Qué piensa Fray Juan del triunfo de Lutero sobre Roma?
24. ¿Por qué se refiere Las Casas al Camino de Damasco?
25. ¿Qué piensa de la conversión de San Pablo?
26. ¿Cuáles son las dos formas de hacer historia?
27. ¿Qué le dicen Dios y la conciencia a Fray Juan respecto a la intención de Carlos V?
28. ¿Qué no hacen los hermanos legos y los frailes menores para sus fieles ignaros?

29. ¿Cuál es el peor delito que puede cometer un sacerdote, según Fray Juan?
30. ¿Desde qué ángulo deben examinar la cosa, en la opinión de Pedro de Gante?

VIII. Págs. 75/25–84/17

A. *Escríbanse sinónimos de las palabras o expresiones siguientes:*

1. yermo
2. templo
3. mensaje
4. a secas
5. plática
6. erguirse
7. varones
8. informar
9. andar
10. breve

B. *Escríbanse oraciones originales empleando las expresiones siguientes de tal modo que se revele el significado de la expresión:*

1. por si
2. por sí
3. dar rienda suelta a
4. mismo juego
5. dar vueltas
6. un sí es no es
7. sacar de quicio
8. estar a salvo
9. hacerse a un lado
10. es decir

C. *Corríjanse las siguientes oraciones falsas:*

1. Las Casas va a tomar a su cargo el enseñar lo preciso a la clarisa.
2. Si fuera fácil creer en la verdad, el mundo sería más absurdo.
3. El Guadalquivir fue el nombre de la Virgen de Extremadura.
4. La Orden de Santa Clara fue la tercera Orden de San Francisco de Asís.
5. El fraile encontró a la clarisa escuchando a la puerta.
6. Fray Juan dice que él mismo es un tonto de capirote.
7. Según el Obispo, el Rey ha informado al jardinero de todo.
8. El Rey le habló al mensajero Fray Antonio con mucha dulzura.
9. Según Vasco de Quiroga, el Rey sabe mucho de lo de Nueva España.
10. Martín de Valencia cree que no hay mejor tierra que el conquistador para la semilla de los misioneros.

D. *Escríbase el tiempo presente perfecto de los verbos que están escritos en bastardillas:*

1. ¿Qué *hacer* los conquistadores en el Nuevo Mundo?
2. ¿*Entender* el castellano ese indio?
3. Yo le *decir* que nos *enviar* el Rey un mensajero de boca.
4. Motolinía *escribir* varios autos sacramentales.
5. El Obispo no *ver* de cerca a la clarisa.
6. Fray Juan *ir* a tirar el cordón de la campanilla.
7. Todavía no *oir* el Obispo a su familiar en confesión.
8. Martincillo *volver* a tomar por el brazo al indio joven.
9. Dios *poner* sus caminos en nosotros.
10. El pobre *morir* con la Gracia de Dios.

E. *Contéstense las preguntas siguientes con oraciones completas:*

1. ¿Cuáles son las instrucciones en detalle de Carlos V?
2. Según Motolinía, ¿qué clase de lugar será preciso escoger?
3. En la opinión de Fray Juan, ¿qué fecha deben escoger?
4. ¿Quién quiere tomar a su cargo el enseñar lo necesario a la clarisa?
5. ¿Cómo debe ser el indio que escogen?
6. Si fuera fácil creer en la verdad, ¿cómo sería el mundo?
7. ¿Por qué van a rehacer el texto del mensaje que les han enviado?
8. ¿Qué nombre van a usar para la Virgen?
9. ¿Por qué creen Pedro de Gante y Las Casas que la Virgen de Guadalupe es una buena Virgen?
10. ¿A quiénes ayudó la Virgen?
11. Según Motolinía, ¿qué pueden hacer los autos sacramentales?
12. Antes de ir más lejos con su plan, ¿a quién deben ver de cerca?
13. ¿Cómo entra el indio joven?
14. ¿Qué hacía cuando lo encontró el fraile franciscano?
15. ¿Cómo llama a Fray Juan al arrodillarse?
16. ¿Cómo trata de calmarlo el Obispo?
17. Según Las Casas, ¿por qué no debe llamarlo idiota el fraile Antonio?
18. ¿Qué hace Motolinía cuando se acerca al indio joven?
19. ¿Qué hacía Martincillo cuando se metió el indio en la oficina del Obispo?
20. ¿Qué manda Fray Juan que haga Martincillo con el indio?
21. ¿Cómo critica Fray Antonio las acciones del Rey?
22. Según el fraile, ¿en qué estado está la hermana clarisa?
23. ¿Con quiénes había hecho el viaje de España Fray Antonio?
24. ¿Está enterado en las instrucciones del monarca?

25. ¿Qué quiere decir Fray Martín cuando dice: — Sin pico ni pala — ?
26. ¿Cómo le sigue al fraile la hermana clarisa?
27. ¿Qué debe hacer el fraile en cuanto entre ella?
28. Al entrar la hermana, ¿qué entra de golpe en el despacho?

IX. Págs. 85/1–95/22

A. *Escríbanse sinónimos de las palabras o expresiones siguientes:*

1. despacho
2. repentinamente
3. charlatán
4. reiterar
5. señalar
6. cerro
7. prestar el oído
8. ocio
9. belleza
10. regreso

B. *Escríbanse oraciones originales empleando las expresiones siguientes de tal modo que se revele el significado de la expresión:*

1. no tener monta
2. pensar que sí
3. saber de sobra
4. dar a luz
5. llevar a cabo
6. echarle en cara
7. sentar sus reales
8. dar de comer
9. responder de
10. más de lo que es de uso

C. *Escríbase el tiempo pasado perfecto o pluscuamperfecto de los verbos que están escritos en bastardillas:*

1. Yo *llegar* a creer todo.
2. El *decir* que el amor es cuidado.
3. Ella *poner* mucha confianza en el mensajero.
4. Nosotros *hacer* lo bastante por el indio.
5. Yo *pensar* mucho en el límite de mi paciencia.
6. Ellos *reir* brevemente, pero después volvieron a ponerse serios.
7. ¿*Ver* usted el libro encuadernado sobre la mesa?
8. Ellos *abrir* los caminos para la obra de Dios.
9. Los indios *sentarse* en el suelo como en un estrado.
10. El *romper* una ventana en el despacho.

D. *Escríbase el modo subjuntivo de los verbos que están escritos en bastardillas, explicando las razones de su uso:*

1. Parece que le gusta que ellos *ser* pobres.
2. Deseo que el dominico *llegar* a santo.
3. No estoy seguro de que esta tierra *tener* más que oro y plata.
4. Temo mucho que todos *estar* a la orilla de un abismo.
5. Favor de decirle que *venir* cuando *tener* otra visión.
6. El va a sentarse en la antecámara hasta que usted lo *ver*.
7. El señor Obispo quiere que usted *explicar* la luz.
8. Ruego que ustedes nos *dejar* en paz.
9. Quizás *haber* una relación entre esa luz y esas voces.
10. ¿No cree usted que él *equivocarse?*
11. Decidles que *tranquilizarse* y *orar* un poco.
12. Le pido que *dar* el recado al fraile.
13. Es mejor que él *salir* lo más pronto posible.
14. ¿No quiere usted que él le *contar* todo?
15. Siento muchísimo que ellos le *traer* otra historia.

E. *Contéstense las preguntas siguientes con oraciones completas:*

1. ¿Cuánto tiempo pasa entre el segundo acto y el tercero?
2. ¿Cómo es el Obispado en este acto?
3. ¿Por qué va a aumentar la oscuridad ambiente durante el curso del acto segundo?
4. ¿Qué hace Fray Juan al levantarse el telón?
5. ¿Cómo describe la mañana Martincillo?
6. ¿Qué piensa Motolinía del frío?
7. ¿A quiénes no hace Dios, según Fray Juan?
8. ¿Qué ha llegado a creer Motolinía en cuanto al hermano Martín?
9. ¿Por qué está Motolinía en la ciudad?
10. ¿Quién le dio el mensaje del Obispo?
11. ¿Por qué se reúnen los conquistadores y los encomenderos, según Las Casas?
12. ¿Por qué tiene Fray Juan una impresión dolorosa como una llaga?
13. ¿Por qué dice que México es como un enorme vientre preñado?
14. ¿Qué piensa del cielo nublado y del aire frío de la tierra?
15. ¿Qué quiere decir el Obispo cuando exclama: — No somos más que polvo brevemente iluminado — ?
16. ¿Cómo son los trabajos a que hace frente?
17. Si Dios no es idea, ¿cómo es, según Fray Juan?

18. ¿Por qué vuelve a entrar Martincillo?
19. ¿Ha venido a menudo el indio para ver al Obispo?
20. ¿Qué va a hacer hasta que vea a Fray Juan?
21. ¿Cómo se llama el indio de las visiones?
22. ¿Qué hace Juan primero al entrar?
23. ¿Qué vio esta mañana?
24. ¿Qué quiere que el Obispo le diga respecto a la luz?
25. ¿Qué historia trae el indio Juan segundo?
26. ¿Dónde vieron la luz los dos indios?
27. ¿Qué lengua entiende bien Motolinía?
28. ¿Por qué se parecen los indios al árabe infiel, según el Obispo?
29. ¿Cómo explica Martincillo el llamado de Fray Toribio a la ciudad?
30. ¿Por qué se vuelven Fray Juan y Motolinía a opuestos extremos para no mirarse sonreir?
31. ¿En qué fecha inscribió Martincillo la nota en el libro?
32. ¿Qué hizo después de anotarla?
33. ¿Qué hace siempre al anotar algo en el libro?
34. ¿Qué era eso de la representación, según Fray Juan?
35. ¿Cómo es el rumor que se oye afuera?

X. Págs. 95/23–103/7

A. *Escríbanse sinónimos de las palabras o expresiones siguientes:*

1. rumor
2. enrojecido
3. empeñarse en
4. desértico
5. paraje
6. cotidiano
7. cabaña
8. nombrar
9. desenfado
10. atinar

B. *Escríbanse oraciones originales empleando las expresiones siguientes de tal modo que se revele el significado de la expresión:*

1. en primer lugar
2. hacerle compañía
3. a tiempo
4. dejar caer
5. por sobre
6. pese a
7. tratar de
8. hacia afuera
9. hacer sangre
10. colarse de rondón

C. *Complétese el grupo siguiente de palabras:*

	Verbos	Nombres	Adjetivos
1.	culpar	______	______
2.	______	trabajador	______
3.	______	______	silencioso
4.	destruir	______	______
5.	______	respeto	______
6.	______	______	jactancioso
7.	observar	______	______
8.	______	esperanza	______
9.	______	______	mentiroso
10.	______	meditación	______

D. *Escríbase el tiempo progresivo presente de los verbos que están escritos en bastardillas:*

1. Lo que *decir* el indio es para orejas de Obispo.
2. Motolinía *reir* mientras habla.
3. El *sobreponerse* con esfuerzo a su timidez.
4. Con los ojos ellos *seguir* sin cesar a Fray Juan.
5. Los conquistadores *destruir* la vida de incontables infieles.
6. Ellos *repetir* las reglas para la oración vespertina.
7. Esta rosa *morir* en mi mano.
8. El Obispo *pedir* que venga en seguida el jardinero.
9. Alonso *saludar* a Fray Juan en una rodilla.
10. Ilustrísima, él *mentir* como siempre.

E. *Contéstense las preguntas siguientes con oraciones completas:*

1. ¿Quién más se empeña en ver a Fray Juan?
2. ¿Por qué tiene que hablar precisamente con el Obispo?
3. ¿Cómo se llama el tercer indio?
4. ¿Qué lengua habla un poco?
5. Al entrar el indio, ¿qué no puede evitar Martincillo?
6. ¿Qué hay en la mano derecha de Juan tercero?
7. ¿Dónde había encontrado la rosa?
8. ¿Qué busca el Obispo en el cajón de su mesa de trabajo?
9. ¿A quiénes debe llamar en seguida Martincillo?
10. ¿A qué malhadada reunión se refiere Fray Juan?
11. ¿Qué informes hay en la minuta que le exhibe a Motolinía?
12. Según el Obispo, ¿qué ocurrió en el pedregal de San Angel hace quizá siglos?

13. ¿Qué le dicen sus entrañas respecto a la mano del hombre?
14. ¿Qué pidió a Fray Antonio cuando llegaron la clarisa y el jardinero?
15. ¿Qué sabe Fray Antonio de las acciones del jardinero?
16. ¿Qué hacen los tres indios cuando entra el jardinero?
17. Según Alonso, ¿cuál era su tarea en Nueva España?
18. ¿Cómo han nacido las rosas?
19. ¿Cómo cumplió sus órdenes el jardinero?
20. ¿Cuál es el efecto de la muerte de una flor sobre Alonso?
21. ¿Había rosas en Tenochtitlán antes de la llegada de los españoles?
22. Según los tres indios, ¿qué ha hecho el jardinero en la región del Tepeyácatl?
23. ¿Cómo es la oración cotidiana de Fray Juan?
24. ¿Adónde lo llevaron los apetitos de Alonso?
25. Según la doncella india, ¿cómo son los españoles?
26. ¿Qué sembró Alonso en la puerta del jacal de la india?
27. ¿Qué dio el jardinero a Nueva España como los soldados y como tantos otros?
28. ¿Tiene mujer en España?
29. ¿Qué quiere decir cuando responde: — . . . pero lo que soy de hombre vino aquí conmigo — ?
30. ¿En qué dos lugares sembró rosas?
31. ¿Cuál es su filosofía respecto a su razón de ser?
32. ¿Qué hace Fray Juan con la rosa que tiene en la mano?

XI. Págs. 103/8–110/12

A. *Escríbanse sinónimos de las palabras o expresiones siguientes:*

1. atender
2. aguardar
3. igual
4. doncella
5. rogar
6. temer
7. a toda hora
8. un mal
9. leal
10. réplica

B. *Escríbanse oraciones originales empleando las expresiones siguientes de tal modo que se revele el significado de la expresión:*

1. ser lengua
2. guardar silencio
3. de lejos
4. de todos modos

5. en voz baja
6. o bien
7. querer decir
8. reirse de
9. hacer daño
10. suspender el paso

C. *Escríbanse las oraciones siguientes empleando la palabra que sea necesaria:*

1. La meditación requiere más ___ una cabeza.
2. Ha ___ ser aquí frente ___ tata.
3. Acabo ___ recordar ___ que me dijo.
4. La india va ___ darme un mesticillo.
5. ___ que acabar en seguida ___ esto.
6. Dejen ustedes ___ vivir de limosnas del pasado.
7. Ellos se ríen ___ mí en Roma.
8. El siempre discurre demasiado a ___ suyo.
9. Ellos no nos necesitan para llevar a ___ sus designios.
10. He pensado mucho ___ sus preocupaciones.

D. *Escríbase el modo subjuntivo de los verbos que están escritos en bastardillas, explicando las razones de su uso:*

1. Quiero que *irse* esta gente.
2. Ojalá que éste *venir* también del Tepeyácatl.
3. Temo que él *caer* en el pecado.
4. ¿Puede usted hacer salir a esta gente para que *terminar* nosotros?
5. No quiero que él *volver* a oir el nombre.
6. Es como si *reunirse* los cuatro puntos cardinales.
7. Que Dios Nuestro Señor me *perdonar*.
8. El no estaba seguro de que ellos lo *traer*.
9. El va al Pedregal aunque le *costar* la vida.
10. Rogamos que ellos *replicar* en seguida.
11. ¿Cree usted que los hombres de espada *poder* haber preparado todo esto?
12. Si yo *ser* él, no lo creería.
13. Promiscuaban con los naturales como si la pelvis de una virgen *poder* separarse sólo por el color.
14. El insistió que el emisario le *decir* la verdad.
15. ¿Conoce usted a alguien que *saber* la lengua náhuatl?

E. *Contéstense las preguntas siguientes con oraciones completas:*

1. ¿Por qué llama "lengua" el Obispo a Motolinía?
2. ¿Qué pide Fray Juan que les explique Motolinía a los indios?

3. ¿Cómo son los ademanes de Motolinía al explicarles la voluntad del Obispo?
4. ¿Para qué va a ver Martincillo a Fray Juan mañana?
5. ¿Cómo entra Juan cuarto?
6. ¿Qué cosa tiene recogida por la mano izquierda?
7. ¿Qué requiere la meditación, según Fray Juan?
8. ¿Cómo habla Juan cuarto el español?
9. ¿De dónde viene?
10. ¿Por qué no puede hacer salir a los otros indios Motolinía?
11. ¿Por qué no puede hacerlos salir Juan cuarto?
12. ¿Por qué no puede dar el encargo al Obispo en otro lugar?
13. ¿Cómo habla cuando se arrodilla ante Fray Juan?
14. ¿Qué le había dicho la señora hermosa al pobre indio?
15. ¿Por qué vuelve a tomar la minuta de su mesa el Obispo?
16. ¿Qué ocurrió el día de la junta con Las Casas y los demás?
17. Según Fray Antonio, ¿fue uno de estos cuatro indios que escuchó detrás de la puerta?
18. ¿Cómo es que habla español Juan cuarto?
19. ¿Por qué tiene Fray Juan razones para dudar el milagro?
20. ¿Cuál es la fecha de esta entrevista entre Juan cuarto y el Obispo?
21. ¿Dónde había sembrado los rosales el jardinero?
22. ¿Cómo era la voz de la señora hermosa?
23. Según Fray Antonio, ¿ha salido del Obispado la hermana clarisa?
24. ¿Qué pide Fray Juan que hagan Martincillo y Fray Antonio?
25. ¿Quiénes tienen la culpa de la intrusión del poder temporal sobre el poder de la Iglesia, según el Obispo?
26. ¿Está de acuerdo Motolinía con Fray Juan?
27. ¿Qué sería el ser humano sin el sentimiento religioso y el ejercicio de la razón?
28. ¿Por qué teme el Obispo a los valientes capitanes sacrificadores?
29. ¿Para qué convierten al indio a la fe de Nuestro Señor, según Fray Juan?
30. ¿De qué mal nuevo está enfermo el Obispo?

XII. Págs. 110/13–117/33

A. *Escríbanse sinónimos de las palabras o expresiones siguientes:*

1. previo
2. en torno a
3. portar
4. necedad

5. resuelto
6. devorar
7. encargo
8. pretender
9. disparate
10. cólera

B. *Escríbanse oraciones originales empleando las expresiones siguientes de tal modo que se revele el significado de la expresión:*

1. fuera de escena
2. llegar a oídos
3. a medio tender
4. poco a poco
5. decir a gritos
6. contenerse a dos puños
7. abrir en dos
8. temblar de cólera
9. echar abajo
10. prestar el oído

C. *Complétense las frases siguientes con los nombres a la derecha:*

____ va a abandonar la Orden.
____ está, a todas luces, en un trance.
____ abandona su real de Coyoacán.
____ ha visto incendios en el pasto.
____ es una sevillana joven.
____ oprime sobre su pecho la tilma plegada.
____ medita como ensaya veta el minero.
____ viene a cobrar los diezmos del milagro.
____ habla como una hipnotizada o médium.
____ viene como adelantado de Cortés.
____ se prosternan pegando las frentes al suelo.
____ está más intranquilo que si hubiera maculado la sagrada hostia.
____ junta sus manos en alto evocando la imagen.
____ ve de pronto al pueblo coronado de luz.
____ no sabe que la lengua de un Obispo tiene más virtudes armadas que un ejército.
____ se contiene a dos puños.
____ no quiere ser cómplice de un fraude.
____ explica la palabra *tlamahuizolli*.
____ parecen los Adanes de la Eva ignorada.
____ tiende las rosas rojas a Fray Juan y a Motolinía.

1. La monja
2. Fray antonio
3. Fray Juan
4. El alférez
5. Cortés
6. Motolinía
7. Martincillo
8. Juan cuarto
9. Los tres indios

D. *Escríbase el modo subjuntivo de los verbos que están escritos en bastardillas, explicando las razones de su uso:*

1. Cuando el Capitán General *llegar*, será admitido.
2. Espero que ellos no *sacar* más diezmos para la Iglesia.
3. Quisiéramos que *incendiarse* los naturales bajo la llama de la fe cristiana.
4. Sé que la cólera, aunque *ser* vuestro elemento natural, es una fábrica ciega de errores.
5. Me alegro de que él no lo *seguir*.
6. Si los italianos *ver* la formación de indios, pensarían que es cosa de tumulto.
7. Quizás mañana *dirigirse* el indio al cerro.
8. Ella parece como si *estar* en un trance.
9. Dejaremos que España *creer* que inventó el milagro.
10. Ellos insisten que el Obispo *bendecir* al pueblo.
11. El pidió que yo les *hacer* constante compañía.
12. No quiero oir el nombre de **tlamahuizolli,** o como *llamarse*.
13. Empiezo a ver sin que esto me *influir*.
14. Es preciso que los rosales *florecer* en el yermo.
15. Debemos hacer todo lo que *ser* en bien de nuestra fe, aunque los medios *parecer* difíciles.
16. El Rey me ordenó que *sustituir* a Nuestro Señor y que *hacer* aparecerse a una virgen morena.
17. Si los indios *morir*, ¿quiénes levantarían las iglesias?
18. Dígale que me *comunicar* en seguida.
19. Fray Juan estaba meditando con tanta intensidad como si *ser* un gran cirujano.
20. Es posible que él no *distinguir* lo que dicen las voces.

E. *Contéstense las preguntas siguientes con oraciones completas:*

1. ¿Cómo entra en el despacho el Alférez?
2. Según él, ¿quién va a honrar a Fray Juan con su visita?
3. ¿Por qué se contiene a dos puños el Obispo?
4. ¿Qué noticias han llegado a los oídos del Capitán General, según el Alférez?
5. ¿Quiénes rodearon el palacio de Cortés para hablarle?
6. Según el Alférez, ¿por qué se aparece la mujer ante los naturales?
7. ¿Por qué quiere Fray Juan que salga cuanto antes el hombre de espada?

8. ¿Cuándo será bienvenido el Alférez, según el Obispo?
9. ¿Para qué viene al Obispado el Capitán General de la Nueva España?
10. ¿Cómo es la cólera del Obispo, según Motolinía?
11. En la opinión de Fray Juan, ¿cuál es el mayor castigo del pecador?
12. ¿Por qué quiere abandonar la Orden Fray Antonio?
13. ¿Por qué está tan intranquilo Martincillo?
14. Descríbase a la hermana clarisa.
15. ¿Qué impresión da su hábito?
16. ¿Qué hacen Alonso y los tres indios al verla?
17. ¿Cómo parece el trance de la monja?
18. ¿Cómo habla la clarisa al saludar a Fray Juan?
19. ¿Qué hace Juan cuarto mientras observa a la monja?
20. ¿Es la clarisa la señora hermosa que vio Juan cuarto al pie del cerro?
21. ¿Qué hace la monja al darse cuenta de que Juan cuarto ha dejado de mirarla a los ojos?
22. Al desplegar su tilma, ¿qué les tiende Juan cuarto al Obispo y a Motolinía?
23. ¿Qué hace la monja al ver la imagen desplegada? ¿El fraile? ¿Los indios?
24. ¿Qué piensa Fray Juan del milagro?
25. ¿Cuál era la fecha de la aparición al pie del cerro del Tepeyácatl?
26. ¿Qué es lo que grita el tumulto afuera?
27. ¿Por qué es preciso ocultar la verdad a Carlos V y a todos, según el Obispo?
28. ¿Quién se acerca al Obispado?
29. ¿Qué se prepara a hacer Fray Juan cuando va al balcón?
30. ¿Qué ve de pronto al caer el telón?

Temas para composición oral o escrita

1. ¿Qué hay de divertido en el carácter de Martincillo? ¿Es sutil y sugerente su humorismo? Explique su contestación y dense ejemplos.
2. Analícese el tema de la fatalidad en la frase de Carlos V: "Soy el rey para el pueblo, y soy sólo un poco de polvo para Dios."
3. Selecciónense varias imágenes y metáforas en esta obra teatral y analícense su originalidad y su efecto poético.

4. ¿Qué importancia da el gran número de alusiones históricas al drama? Coméntense varios ejemplos.
5. Búsquense algunos ejemplos que muestran que Fray Juan de Zumárraga es un vasco obstinado.
6. Coméntese la originalidad de los arreglos de escena en esta obra.
7. Búsquense algunas frases que muestran que Fray Martín de Valencia pensó mucho en la salvación del indio.
8. Coméntese el fondo histórico de este drama desde el punto de vista de la Conquista Española.
9. Selecciónense algunas frases en el drama que muestran que Fray Bartolomé de Las Casas fue un dominico práctico y valiente.
10. Coméntense las frases en la obra que muestran que Fray Bernardino de Sahagún se preocupa mucho por la historia de los indios de la Nueva España.
11. ¿Desde qué punto puede ser peligrosa esta obra?
12. ¿Cómo está presentada la actitud del pueblo hacia la aparición de la Virgen de Guadalupe? ¿Es convincente?
13. Selecciónense varias frases que muestran que la hermana clarisa es una monja histérica y quizás una impostora.
14. ¿Desde qué punto de vista es este drama una pieza antihistórica o un examen de los acontecimientos históricos en forma diversa de los que les conceden los historiadores en general?
15. Analícese el papel que desempeña la Reina Isabel de Portugal como personaje secundario en el desarrollo del acto primero.
16. Analícese el significado de la declaración del Obispo al fin del drama: "Hay que ocultar la verdad a Carlos y a todos, hermano, porque a partir de este momento México deja de pertenecer a España. Para siempre. Y eso es un milagro de Dios."
17. Prepárese una crítica de la obra desde los siguientes puntos de vista: (*a*) el tema o asunto, (*b*) los personajes, (*c*) el ambiente o la escenografía, (*d*) las ideas o los sentimientos, (*e*) el estilo, (*f*) la estructura, y (*g*) su juicio final de la obra.

Vocabulario

The following items have been omitted from this vocabulary: regular forms of verbs and irregular forms of the most commonly used verbs; regular past participles if the infinitive is given; definite articles, personal pronoun objects, possessive adjectives and pronouns, reflexive and subject pronouns, demonstrative adjectives and pronouns; some proper names that require no translation or explanation; obvious cognates; adverbs in **-mente** when the adjective is given. Otherwise, the vocabulary is intended to be complete. Idiomatic expressions are listed under the key word of the idiom. If the gender of nouns does not appear, those nouns ending in **-o** are masculine, and those ending in **-a, -ión, -dad, -ez, -tad, -tud,** and **-umbre** are feminine. In the case of adjectives, only the masculine form is given, unless the feminine is irregularly formed. Radical-changing verbs are indicated in parentheses after the infinitive in the following way: Class I: **cerrar (ie), contar (ue);** Class II: **sentir (ie, i), morir (ue, u);** Class III: **pedir (i).** Prepositions that generally accompany certain verbs are given in parentheses after the infinitive or after past participles if shown separately. The dash **(—)** is used to refer to the first entry.

The abbreviations used in the vocabulary are the following:

adj. adjective
adv. adverb
coll. colloquial
conj. conjunction
dial. dialect
eccl. ecclesiastical
f. feminine
fig. figuratively
Fr. French
fut. future
gram. grammatical
inf. infinitive
interj. interjection
Lat. Latin
m. masculine
n. noun
p.p. past participle
pl. plural
prep. preposition
pres. ind. present indicative
pres. p. present participle
pron. pronoun
sing. singular
subj. subjunctive
theat. theatre
theol. theology

a to, at, in, on, from, by
ab absurdo *Lat.* absurdly
abajo below; **allá —** down there; **hacia —** downward
abandonar to abandon, forsake; **— se** to give up, despair
abanico fan
abarcar to embrace; to take in, encompass
abdicación abdication
abierto *p.p. of* **abrir** open, opened
abismo abyss, chasm
abolir to repeal, revoke
abominablemente abominably
abono guarantee, security; fertilizer
abrazar to embrace; to take in
abrir to open; **— en dos** to split in two (parts); **—se paso** to get through, force one's way
absoluto absolute
absorber to absorb; to use up
absorto amazed; absorbed in thought
abstenerse (de) to abstain (from), forbear
absurdo absurd, ridiculous, nonsensical
abuela grandmother
abuelo grandfather; *pl.* grandparents
abundar to abound
acá here; **por —** here, hereabouts; this way
acabar to end, finish, eliminate, wind up; **— con** to do away with; **— de** + *inf.* to have just + *p.p.*; **— por** to end by
acalorarse to get stirred up, heated up
acarrear to transport, cart; to cause
acaso perhaps
acatar to hold in high esteem; to respect; to revere
acceso access
accidente *m.* accident
acción action
accionar to drive
aceite *m.* oil
aceituna olive
acento accent
acentuar to accent; to accentuate, emphasize
aceptación acceptance
aceptar to accept
acerbo sour, bitter; cruel, harsh
acerca de about, with regard to
acercarse (a) to approach, draw near (to)
acero steel; sword; *pl.* arms, weapons
acertijo riddle
aclarar to make clear, clarify; to clear up
acoger to receive; to protect, shelter
acometer to attack; to undertake
acomodar to accommodate; to arrange, place; **—se** to adapt oneself; to settle
acompañar to accompany, go with; **acompañado de** accompanied by
aconsejar to advise
acontecimiento happening, event
acordar (ue) to resolve; to agree; to remind; **—se (de)** to remember, recollect; to come to an agreement
acorde agreed, in accord

acostarse (ue) to go to bed, lie down
acostumbrar(se) a to be accustomed to
acrecer to increase, enlarge
actitud attitude
acto act
acudir to come up; to respond
acuerdo agreement; determination; **de —** agreed, O.K.; **de — con** in agreement with, in accordance with; **estar de —** to be in accord; **ponerse de —** to agree, reach an agreement
acusación accusation
acusar to accuse; **—se (de)** to confess (to)
achicharrado scorched
Adán *m.* Adam; **parecen los Adanes de la Eva ignorada** [the three Indians] look like so many Adams beholding a new Eve
adaptar to adapt, fit
adecuado adequate
adelantado messenger; governor of a province
adelantar to bring closer, move forward; **—se** to step forward, move ahead of
adelante ahead, forward, onward; come in; **hacia —** forward; **más —** later on, farther on
ademán *m.* gesture, look, movement; attitude
además (de) besides, furthermore
adentro inside, within
adiós good-bye
adivinar to guess; to foretell
adjetivo adjective
administración administration
administrar to administer
admitir to receive; to admit, grant
¿adónde? *adv.* where?
adoptar to adopt
adoración adoration
adorar to adore, worship
adosar a to lean (against); to push close to
adquirir (ie) to acquire, obtain, get
adulación adulation, fawning
adulador fawning, flattering
adular to flatter fawningly
advertir (ie, i) to advise; to warn; to notice, observe
afán *m.* eagerness, anxiety
afanosamente laboriously
afectar to affect, have an effect on
afectuosamente affectionately
afines con similar to, related, like
afirmar to affirm, assert; **—se** to hold fast; to maintain firmly
afirmativo affirmative
aflicción affliction, sorrow, grief
afligirse to grieve; to become despondent
afuera out, outside; **hacia —** out
agencia agency; ministration; commission
agente *m.* agent
agitación agitation
agitadamente excitedly, agitatedly
agitar to agitate, stir, ruffle; to flutter, wave
agradable agreeable, pleasing, pleasant
agradar to please, like
agradecer to thank for; to be grateful for
agredir to insult; to attack, assault
agricultor *m.* farmer

agua *f., but* **el** water
aguardar to wait (for); to expect
agudo sharp, keen, acute
águila *f., but* **el** eagle
aguja needle
¡ah! oh! ah! *interj. expressing surprise*
ahí there; **por —** somewhere around there; that way; over there
ahijado godchild; protégé
ahogarse to drown oneself; to suffocate, smother
ahondarse to go deep, penetrate; to advance in knowledge
ahora now; **— mismo** right now; **hasta —** up to now
ahorrar to save, economize; to spare
ahorro economy; *pl.* savings
airado angry, wrathful
aire *m.* air
ajá fine! good!
ajeno strange, foreign; another's
ajustar to adjust, adapt, fit
al = **a** + **el** at the, to the; **—** + *inf.* upon + *pres. p.*
alabar to praise; to glorify; **¡Alabado sea Dios!** Praise be to God! Heaven's will be done!
alancear to spear
alargarse to be prolonged; to drag; to become longer
alarmar to alarm
albarda packsaddle
albedrío free will; caprice, fancy
alcachofa artichoke
alcance *m.* pursuit; reach; **al — de** within reach; **fuera del —** out of reach (range)
alcanzar to overtake, reach, attain; to suffice, be enough
alcázar *m.* fortress
alcuza olive-oil can
aldabazo knocking
aldabón *m.* large knocker
aldabonazo knocking
aldea hamlet, village
alegrarse (de) to be happy, glad (of)
alegre happy, joyful
alegría happiness
alejar to take away; **—se** to move aside (away); to keep at a distance
alemán *m.* German
Alemania Germany
alentar (ie) to encourage, inspire, cheer
aletear to flutter
alfarería pottery
alfeñique *m.* sugar paste
alférez *m.* second lieutenant
algo something; somewhat; **por —** with reason, rightfully
alguien someone, somebody
algún *used for* **alguno** *before a m. sing. n.*
alguno some, any; somebody
alharaca fuss, outcry
alhóndiga grain exchange
alianza alliance
alimentar to feed, nourish; to cherish
alimento food
aliviar to lighten; to alleviate; to soothe
alivio relief
alma *f., but* **el** soul; **— de Dios** harmless, inoffensive person; kind-hearted person
almendra almond
almidón *m.* starch
almirez *m.* metal mortar

almohadón *m.* large pillow or cushion
almohaza currycomb
alrededor (de) around, about; *m. pl.* environs
alterar to alter, change
Alteza: Vuestra — Your Highness
alto tall, high; **en —** up high, up above, upward; **en voz alta** aloud, out loud
altura height, altitude
alucinación hallucination
alumno pupil, student
alusión allusion
alzar to raise, lift; **—se** to rebel, rise (up)
allá there; **el más —** the beyond; **más —** farther; **más — de** beyond; **muy más — de** much beyond, farther from
allí there; **por —** over there, around there
amado beloved
amamantar to nurse, suckle
amar to love
amargarse to become bitter, offended
amargo bitter
amargura bitterness
ambicioso ambitious
ambiente *m.* atmosphere; environment; *adj.* surrounding
ámbito contour; limit, boundary
ambos both
amenaza threat, menace
amenazar to threaten, menace
amigo friend
amor *m.* love
amoscarse to become peeved, miffed
ampliamente largely, copiously, extensively
análisis *m. or f.* analysis
analizar to analyze
anatema *m. or f.* anathema; curse
anciano old, elderly
andaluz Andalusian; *m.* Andalusian (dialect); **a la andaluza** in the Andalusian fashion or manner
andar to walk, go (along); to run; to move; **anda** gracious! move on! all right! go ahead!
ángel *m.* angel
ángulo angle
angustia anguish, distress
angustiado anxious; sorrowful; anguished
anillo ring
ánimo spirit, soul; courage
anotar to annotate; to note, jot down
ansiedad anxiety
ante before, in the presence of
anteayer day before yesterday
antecámara antechamber; hall
antemano: de — beforehand, in advance
antes (de) before, previously; **cuanto — (más)** immediately, without delay
anticipar to anticipate; **—se** to wait
antigüedad antiquity; ancient times
antiguo ancient, old
antihistoria anti-history
antihistórico anti-historical
antónimo antonym
anual annual, yearly
anulación abrogation, nullification

anunciar to announce
añadir to add; to join
año year; **el — Caña Trece tenochca** *comparing the Tenochcan calendar to the Gregorian calendar:* 1531; **el — Caña Trece tlaltelolca o tecpaneca** *comparing the Tlaltelolcan or Tecpanecan calendar to the Gregorian calendar:* 1555
apagar to put out, extinguish; to turn off (lights)
aparecer to appear
aparejado ready, fit, suitable
aparente apparent, seeming
aparición apparition; appearance (coming in sight)
apariencia appearance; **en —** apparently
apartar(se) to retire, withdraw, move away
apegar to grow fond, become attached
apego attachment, affection, fondness
apenas hardly, scarcely
apetito appetite
aplacer to please, satisfy
aplastar to crush, smash
aplicar to apply; to attribute
apoderarse de to take hold of; to seize; to take possession of
apostar (ue) to bet
apostasía apostasy *abandoning of what one believes in, as a faith, principles, etc.*
apóstol *m.* apostle
apoyo support, protection; approval
aprender to learn
aprensión apprehension; distrust, suspicion
aprestar to prepare, make ready
apresurar to hasten, hurry; **—se a** + *inf.* to hasten to + *inf.*
apretar (ie) to squeeze, tighten
aprobar (ue) to approve
apropiado appropriate, fitting
apuesta bet, wager
apuntar to aim; to point out; to make a note of
aquí here; **— me tenéis** here I am
árabe *m. or f.* Arab
arar to plow
árbol *m.* tree
arcabuz *m.* harquebus (firearm)
arcada arch; archway
arcángel *m.* archangel
arco arch
arengar to harangue
arma *f., but* **el** arm, weapon
armar to arm; to assemble
armonía harmony
arquería series of arches
arraigado deep-rooted
arrebatado violent, impetuous, rash
arrebatar to carry off; to snatch; to attract
arreglar to arrange; to fix
arreglo arrangement; **— de escena** stage setting
arriba up, upward, above, on high; **hacia —** upward; **más —** higher up
arrinconado neglected, forgotten
arrodillarse to kneel down
arrojar to throw (down), cast out
arte *m. or f., but* **el** art; skill; craft
ascenso ascent; rising; promotion; **— de telón** raising of the curtain (theatre)

ascético ascetic
asegurar to secure, fasten; to assure, assert, affirm; **—se (de)** to make sure of
asemejarse a to look like, resemble
asentarse (ie) to be established, fixed
asentir (ie, i) to assent
asesinar to assassinate
asesino assassin
así thus, so, in this way; like that; **— como** just as; **— que** as soon as
asidero occasion, pretext
asiento seat
asimilar to assimilate
Asís Saint Francis of Assisi
asomar(se) a to look out of; to peep into; to put out (as one's head out the window)
asombrar to frighten; to astonish, amaze
aspirar a to aspire to (after)
astucia astuteness; cunning
asumir to assume
asunto matter, affair
asustar to frighten, scare
atacar to attack
atar to tie, bind
atardecer to draw towards late afternoon or evening
atención attention
atender (ie) to pay attention; to wait
atentamente attentively; politely
aterciopelado velvety
atinar con to guess, find, come upon
atormentar to torment; to torture
atraer to attract
atragantarse to choke; *coll.* to get mixed up (in one's speech)
atrás behind, in back, past, ago; **de tiempo —** for a long time; **hacia —** backwards
atravesar (ie) to cross; to go through
atreverse (a) to dare (to)
atribuir to attribute; to assign
atributo attribute
atrio atrium
Atzcapotzalco *town near Mexico City where the Indians used to work the gold and silver for Montezuma*
audaz audacious
Audiencia high court of justice
aumentar to augment, increase, enlarge
aun *written and pronounced* **aún** *when stressed* still, even, yet; **más aún** furthermore; what is more
aunque although, even though
aurora dawn; first appearance
auto: — sacramental allegorical or religious play
autor *m.* author
autoridad authority
avanzar to advance
ave *f., but* **el** bird, fowl; **¡Ave María Purísima! Sin pecado concebida** Hail Mary full of Grace! Conceived without sin *common greeting and response*
aventurero adventurer
averiguar to ascertain; to determine
avisar to advise, notify, inform
avivar to quicken; to encourage; to inflame
¡Ay, Jesús! alas! good gracious!
ayer yesterday
ayudar to help, assist

azaroso risky, hazardous, unfortunate
azorado excited, disturbed, upset
azoro confusion, excitement; terror
azteca *m. or f.* Aztec
azul blue

bajar to go down, descend; to lower
bajo under, beneath; low, short
balanza scales; balance
balcón *m.* balcony
bandeja tray
bañar(se) to bathe
barbarie *f.* barbarism
bárbaro barbaric; barbarian
barco boat, ship, vessel
barullo confusion, disorder
base *f.* base, basis
bastante enough; sufficient; considerable; rather; **—s** several, many
bastar to be enough, be sufficient
bastardillas italics
batalla battle
batallar to battle, fight
bautizar to baptize, christen; to name, call
beatitud beatitude, blessedness, holiness
beato happy, blessed; beatified; devout
beber to drink; **—se** to drink up
bélico warlike
belleza beauty
bello beautiful
bendecir to bless, to consecrate
bendición benediction, blessing
bendito *p.p. of* **bendecir** blessed, saintly
benéfico beneficent; beneficial
benigno benignant, mild, kind
besar to kiss
bestia beast; **— de carga** beast of burden
bien well, good; very; perfectly; **más —** rather; **o —** or else; otherwise; **pues —** well then; **y —** now then, well; *m.* welfare; **—es** property, possessions
bienestar *m.* well-being; comfort; welfare, abundance
bienvenido welcome
blanco white
blancura whiteness
blandir to flourish, swing
blasfemar to blaspheme
blasfemia blasphemy; vile insult
blasfemo blasphemous; blasphemer
bloque *m.* block
boca mouth; **emisario (mensajero) de —** verbal emissary (messenger) *one who transmits orally an unwritten message*
bocio goiter; **— exoftálmico** exophthalmic goiter *in which there is abnormal protrusion of the eyeballs from the orbit*
bonachón good-natured; unsuspecting
bondad kindness, goodness, gentleness
bondadoso kind, good
boscaje *m.* cluster of trees, grove
bota small leather wine bag
botín *m.* booty, spoils of war
Brabante: Duque de — Duke of Flanders *now Belgium and Holland*
brazo arm

breve brief, short
brillante brilliant, bright, shining
brizna fragment; splinter, chip
brusco brusque, rough, harsh, gruff
brusquedad rudeness; rude treatment
buen *used for* **bueno** *before a m. sing. n.*
bueno good; well, all right
bula papal bull
burdo coarse; common, ordinary
burgués *m.* bourgeois
buscar to look (search) for; **en busca de** in search of
búsqueda search, hunt

caballo horse; **a —** on horseback; **¡Con veintidós de a — que . . .!** With twenty-two devils on horseback . . .! *typical way of swearing during the sixteenth century*
cabaña cabin, hut
caber to be room for; to fit, be appropriate or applicable; to go in, into
cabeza head; understanding, judgment; **perder la —** to go out of one's mind
cabildo cathedral chapter; municipal council; town hall
cabo end; **al — de** at the end of; **llevar a —** to carry out
Cáceres *province in western Spain*
cada each, every; **— quien** everybody; **— uno** everybody; **— vez** every time
cadáver *m.* corpse, cadaver
caer to fall; **— de espaldas** to fall backwards; **dejar —** to drop or let fall
caída fall; downfall
cajón *m.* drawer
cálculo calculation
calidad quality; grade
calmar to calm, quiet
calor *m.* heat; glow; warmth
calvario Calvary
callar(se) to silence, keep silent
callejón *m.* lane, alley
cambiar to change; to exchange
cambio change; exchange; **a — de** in exchange for; **en —** on the other hand; in exchange
caminar to walk, go, travel, move along
camino road, path, way; **— de España estoy** I shall be going to Spain quite soon; **ponerse en —** to start out; **Yo os hacía — de España** I thought you were already on the way to Spain
campanilla small bell
campeón *m.* champion
campesino peasant; countryman
campo field; country; countryside; **a — abierto** in the open
cansado tired
cantar to sing
cantera quarry, stone pit
cantilena ballad; irksome repetition of a subject; the same old song
caña cane, reed
cañón *m.* cannon
cañonazo cannon shot; report of a gun
capacidad capacity
capataz *m.* overseer, foreman
capaz capable, able
capilla chapel; small church
capirote *m.* dunce cap; **tonto de —**

blockhead, fool, idiot
capitán *m.* captain
cara face; **echar en (la) —** to throw in one's face
carácter *m.* character
característica characteristic
característico characteristic, typical
cardenal *m. eccl.* cardinal
carga burden; **bestia de —** beast of burden
cargo burden, load; duty; job; **tomar a mi —** to be responsible for, take charge of
caridad charity
caritativo charitable
carne *f.* meat; flesh
carraspear to be hoarse; to hawk, clear one's throat
carrera race
carroza state coach
carta letter
casa house; **en —** at home
casi almost, nearly
caso case; **en todo —** anyway; **hacer — de** to pay attention to
castellano Castilian; Spanish (language)
castigar to punish
castigo punishment
Castilla Castile (central Spain)
categórico categorical
católico Catholic
causa cause; **a — de** because of, on account of
cebar to fatten; to feed, nourish
ceder to yield, cede, give up
celada ambush, trap
celebrar to celebrate; to welcome, accept, look upon with pleasure or approval
celeridad celerity, quickness
cenital *adj.* zenith: at the highest point in the sky
cenizas ashes
centenar *m.* hundred; **a —es** by the hundred
centenario centenary, centennial
centro center; middle
cerca near; **— de** near, nearby; **de —** at close range, close at hand
cercano near, close, adjoining
cerciorarse de to make sure of; to find out about; to ascertain
ceremonia ceremony
cerrar (ie) to close, shut
cerro hill
cervantino pertaining to Cervantes
cesar to cease, stop; **sin —** ceaselessly
ciego blind
cielo sky, heaven
ciencia science; knowledge
cierto certain, true; **a ser —** should this fact or event be true; **por —** to be sure; certainly
cifra figure, number
cinco five
circo circus
circular to circulate
círculo circle; **— de familia** family circle
cirujano surgeon
cismático finicky person; prude; gossip
citar to convoke, convene; to quote, cite
citlali *f.* (*in Náhuatl*) star
ciudad city
civilizador civilizing

claridad clarity, clearness
clarificar to clarify
clarisa Clare (nun) (*See note 54.*)
claro clear, evident; frank; of course
clase *f.* class; kind; **toda — de** all kinds of
claustro cloister
clavar to nail, drive in; to fix (eyes, attention, etc.)
clavo nail
clima *m.* climate
cliometodológico in the methodology of Clio (*classical muse of history*)
cobarde cowardly; *m. or f.* coward
cobardía cowardice
cobrar to collect; to acquire, get; to recover
cochero coachman
codicia greed
codicioso greedy, covetous
colarse (ue) to strain; to steal or squeeze into a place
colectivo collective; group
colega *m.* colleague
colegio school, academy
cólera anger, rage
colérico irritable, irascible
color *m.* color; **—es** colors (flag)
combate *m.* combat, fight, struggle
combatir to combat, fight, attack
combinar to combine
comedia play, drama; comedy
comentar to comment on
comer to eat; **dar de —** to feed, serve food; **—se** to eat up
comerciante *m.* trader, merchant
comercio commerce, trade, business
cometer to commit
comisión commission; committee
comisura: de — a — from one corner to another (of lips, mouth, etc.)
como as (if), like; **así —** just as; **— que** apparently; inasmuch as
¿cómo? how? why? what?
compañero companion, friend, pal
compañía company; **hacer — a** to keep one company
comparar to compare
complejo complex, intricate
completar to complete, finish
completo complete, finished; **por —** completely
cómplice *m. or f.* accomplice
componer to compose; to compound; to make up
compostura composure
comprar to buy
comprender to understand, realize
comprobar (ue) to confirm, verify; to compare, prove, substantiate
comprometer to compromise; to involve; **—se a** + *inf.* to promise to + *inf.*, to obligate oneself to + *inf.*
compuesto *p.p. of* **componer** composed, constituted
comulgar to commune, communicate; to take communion
común common; **sentido —** common sense
comunicar to communicate, impart; to announce
comunidad community; society
con with; **para —** towards, to, for

concebir (i) to conceive, become pregnant
conceder to concede; to give, bestow, grant
concentrarse to concentrate
conciencia conscience; **tener la — en cruz** to have their conscience crucified (as a result of the misdeeds of the Spaniards toward the Indians)
conciliábulo conventicle: a secret meeting; exchange of whispered comments
conciliador *m.* conciliator, peacemaker
condenar to condemn; to damn
condicional *gram.* conditional tense
condicionar to condition; to fit; to agree
conducir to lead, guide; **—se** to conduct oneself, behave
conducta conduct, behavior
conferir (ie, i) to confer, bestow, award
confesar (ie) to confess
confesión confession
confianza confidence
confirmar to confirm, verify
confundir to confuse, mix up
conjunto whole; ensemble; **en —** as a whole
conmigo with me
conmover (ue) to disturb, agitate, stir up
connubio marriage, wedlock
conocer to know, recognize; to meet; to be acquainted with
conocimiento knowledge, understanding
conquista conquest
conquistador *m.* conqueror
conquistar to conquer, win over
consciente conscious; aware
consecuencia consequence; **por —** consequently
consejero counsellor, adviser
consejo counsel, advice
consentir (ie, i) to allow, permit, tolerate; to consent
conservar to conserve, keep, maintain
considerar to consider, think over
consistir to consist; **— en** to consist of
constante constant, continual; uninterrupted
constreñir (i) to constrain, compel, bind, force
construcción construction
construir to construct, build
consuelo consolation, comfort
consulta consultation, conference
consultar to consult, ask advice of
consumar to consummate, finish, complete
consumir(se) to consume, waste away
contagiar to infect; to corrupt; **—se (de)** to become infected (with), take by contagion
contar (ue) to count; to tell; **— con** to depend on
contemplar to contemplate
contener to contain, hold, curb; **—se a dos puños** to control oneself to the utmost (by strenuous effort)
contenido moderate, prudent, modest; contents
contestación answer, response
contestar to answer, respond

continente *m.* continent
continuar to continue; **—** + *pres. p.* to continue, keep on + *pres. p.*
contorsión contortion
contra against; **en — de** against, in opposition to
contradictorio contradictory
contrahacer to imitate, mimic, pantomime, impersonate
contrario contrary, opposite; opponent; **al —** on the contrary
contraste *m.* contrast
conturbar to perturb, disturb, trouble
conturbenio cohabitation; concubinage
convencer to convince
convenir to be convenient, fitting, proper, right; to suit; **— en** to agree to (upon)
convento convent; monastery
converso converted
convertir (ie, i) to convert; to turn
convicción conviction
convincente convincing
convocar to convoke, summon, call together
corazón *m.* heart
cordón *m.* cord
corona crown
coronar to crown
corredor *m.* runner; race horse
correr to run, race; to chase; to traverse, travel over
correspondiente corresponding; respective
corrido confused, ashamed; experienced
corromper to corrupt; to spoil, rot
cortar to cut, clip, cut down (off)
corte *f.* court
cortesano courtier; flatterer
corteza bark (tree); outward appearance
corto short; dull, stupid; backward
cosa thing; matter
cosmografía cosmography; geography
cosmógrafo cosmographer; geographer
costar (ue) to cost; to cause or occasion; **— trabajo** to be hard, difficult
costoso costly, expensive
costumbre custom; **como de —** as usual; **menos que de —** less than usual; **tener — de** to be accustomed to
cotidiano daily; everyday
creador *m.* creator; **el Creador** the Creator
crear to create
creciente growing, increasing
credo creed; articles of faith
creencia belief; creed
creer to believe; **— que sí** to think so; **ya lo creo** yes indeed
creyente *m. or f.* believer
criatura creature
crimen *m.* crime
cristal *m.* crystal; **— de roca** rock crystal
cristiandad Christendom
cristianismo Christianity
cristiano Christian; soul, person
Cristo Christ; **— Vivo** living Christ
criterio criterion; judgment
crítica criticism; critique
criticar to criticize
crítico critical; critic

crónica chronicle
crucificar to crucify
crucifijo crucifix
cruz *f.* cross; **en —** crucified; **hacer la señal de la —** to cross oneself, make the sign of the cross
cruzar to cross
cuadrante *m.* quadrant; (law) fourth part of an inheritance
cuadro picture
cual which, what; like, as; **el —, la —, lo —, los —es, las —es** who, which; **tal por —** so and so
cualquier *used before a sing. n. for* **cualquiera**
cualquiera any; anyone; whichever; **de cualquier modo** at any rate
cuán *adv.* how, how much
cuando when; **— menos** at least; **de vez en —** from time to time
¿cuándo? when?
cuanto as much as; all that which; *pl.* as many as; all that; all those; **en —** as soon as; **en — a** as for, with regard to; **por —** inasmuch as; **unos —s** some, few, a few
¿cuánto? how much? **¿—s?** how many?
cuarenta forty
cuarto fourth; quarter; quarter-hour; room; **— de trabajo** work room, office
cuasi almost
cuatro four
cubrir to cover
cuenta bill; account; report; **caer en —** to see, get the point; to realize; **dar — de** to account for (actions), to report; **darse — de** to realize; **libro de —s** account book; **más de la —** too long, too much; **tomar por su —** to take upon oneself, assume responsibility for
cuentecillo little story, tale
cuento story
cuero leather; **— trabajado** worn-out leather
cuerpo body; matter (opposed to spirit)
cuesta hill; **a —s** on one's back, shoulders
cuestión question (for discussion); problem; matter; **en —** in dispute
cuidado care; caution; carefulness; trust; **¡—!** look out! beware!; **tener — (de)** to be careful (to)
culminación culmination; height
culminante culminating
culpa blame; fault; guilt; **echar la — a** to blame; **tener la — (de)** to be to blame (for)
culpar to blame
cultivar to cultivate
cultivo cultivation
culto cult; religion; worship
cumplir (con) to fulfill, carry out; to keep (a promise)
curiosidad curiosity, inquisitiveness
curioso curious, inquisitive
curso course
curtir to tan (leather)
cuyo whose, of whom, of which

chapurrear to jabber (a language)
charca pool

charlatán *m.* *or* *f.* chatterbox; quack, humbug
chinesca: a la — in the Chinese fashion or manner
chispa spark; ember
chorrear to spurt, spout, gush; to drip

Damasco Damascus
danza dance
danzar to dance
daño harm; damage, hurt; **hacer —** to hurt
dar to give; to cause (shame, grief, etc.); to inspire; **— a** to open on, overlook; **— a luz** to have a child; to give birth to; **— con** to find, encounter; **— cuenta de** to account for (actions); to report to; **— fin** to end; **— (las) gracias** to thank; **— la espalda** to turn one's back; **— rienda suelta a** to give free rein to; **— un paseo** to take a walk, ride, etc.; **— un paso** to take a step; **— vueltas** to circle; to look in vain; to keep going over the same subject; **—se cuenta de** to realize; to notice
deber to owe; must, should, ought; *m.* duty, obligation
debido proper; **— a** owing to, due to
débil weak
decidido determined; decided
decidir(se) (a) to decide (to)
decir to say, tell; to express; **dijérase** it might be said; **es —** that is to say
decisivo decisive, final
declarar to declare
decreto decree
dedicar to dedicate
dedicatoria dedication; dedicatory inscription (book)
dedo finger; toe; **— cordial** middle finger
defender (ie) to defend, protect
defensiva: a la — on the defensive
definitivo definitive
deformación deformation
deidad deity, god, goddess
dejar to let, allow; to leave, abandon; **— caer** to let fall or drop; **— de** to stop, cease; to fail to; **déjame** leave me alone
del = (de + el) of the; from the
delante (de) in front (of); **por —** in front, ahead
delatar to inform against, accuse, denounce
delgado thin, lean, slender; delicate
deliberado deliberate
delito crime
demás other; **lo —** the rest; **los —** the others, the rest of them
demasiado too, too much; too well; *pl.* too many
demonio demon, devil
demostrar (ue) to demonstrate, show; to prove
demudado changed (in color or expression)
denso dense, thick
dentro (de) within, inside of; **por —** inside, on the inside
denunciar to denounce; to proclaim
depender to depend; **— de** to depend on, upon
deponer to put aside; to depose,

remove from office
derecho right; **a la derecha** to the right; **derecha** (stage) right
derribar to demolish, destroy, tear down
derrotar to defeat; to wear out
desacato disrespect, irreverence, contempt
desahogo comfort; relief
desaliento discouragement; weakness
desamparar to forsake, abandon
desaparecer to disappear
desarrollar to unfold, unwind; to develop
desarrollo development
desbaratar to spoil, ruin, destroy
desbordar to overflow
descansar to rest; to be quiet; to stop work
descargar to unload; to unburden
descendiente *m. or f.* descendant, offspring
descompuesto *p.p. of* **descomponer** impudent, insolent
desconcertar (ie) to disturb, confuse, disconcert
desconcierto disorder; disagreement; unrestraint
desconfianza distrust
desconocer to fail to recognize; to disregard, ignore
descontento discontent, displeasure
descreído unbeliever, disbeliever
describir to describe
descubierto *p.p. of* **descubrir** uncovered, exposed
descubridor *m.* discoverer; finder
descubrimiento discovery
descubrir to discover, reveal, uncover
descuidado thoughtless, careless
descuidar to neglect, overlook; to distract, divert
desde from, since; **— hace** for, since; **— luego** of course; **— que** since, ever since
desear to desire, want, wish
desempeñar to play (a part); to fill (a function)
desenfado freedom, ease, naturalness
deseo desire, wish
desértico *adj.* desert
desesperar to despair; to drive to despair
desgañitarse to shriek, scream at the top of one's voice
desgracia misfortune; bad luck
desgraciadamente unfortunately
deshonesto immodest, indecent
deshonrar to insult, defame, dishonor, disgrace
desierto desert, wilderness; deserted, uninhabited
designar to intend; to designate, name, appoint
designio design, purpose, intention
desinteresadamente disinterestedly
deslizar to slip, slide
deslumbrador dazzling; baffling
deslumbrar to dazzle; to puzzle
desmayar to dishearten; to lose heart; **—se** to faint
desmesurado disproportionate, excessive
desnudo naked, bare; penniless
desordenamiento disorder; confusion

despacio slowly; deliberately; **con —** slowly; carefully
despacho office
despedir (i) to dismiss; **—se (de)** to take leave (of); to say good-bye (to)
despejarse to clear up (weather)
desperdiciar to waste, squander
desplacer to displease
desplegar (ie) to unfold, spread out; to display
desplomar to topple over; to collapse
despoblar (ue) to depopulate; to despoil
desprenderse de to separate oneself from; to rid oneself of; to give way (up)
después after, afterwards; later, then; **— de** after; **— de que** after; **muy — de** quite a distance from
despuntar to begin to sprout or bud; **— en** to show an aptitude in or for
desquiciante upsetting, perturbing
desquitar to retrieve; to avenge; to get even; **—se con** to get back at
destello flash, beam
destinado bound to; destined
destino destiny; fate; destination
destrucción destruction
destructor destructive
destruir to destroy
desvanecerse to disappear, vanish
desvergüenza impudence, insolence
desviado devious
desviar to deflect; to avoid (someone's eyes, look)
detalle *m.* detail; **en —** in detail
detener(se) to stop, detain
detestar to detest, hate, despise
detrás (de) behind; **por —** from the rear, from behind
devolver (ue) to return, give back
devorar to devour, consume
día *m.* day; **buenos —s** good morning; **— tras —** day after day; **hoy —** nowadays; **todos los —s** every day
diablo devil; **quién —s** who in the devil
diabólico diabolical, devilish
diálogo dialogue
diantre *m.* devil; **¿qué —s . . .?** what the devil (dickens) . . .?
diario daily; **a —** daily, every day
dibujar to draw, design; **—se** to be outlined
diciembre December
diente *m.* tooth; **(hablar) entre —s** to mutter, mumble
diez ten
diezmo tithe; tenth part
diferenciar to differentiate, distinguish between
diferente different
diferir (ie, i) to differ, be different; to defer, postpone
difícil difficult
dificultad difficulty
digerir (ie, i) to digest; to bear, put up with
dignidad dignity
digno worthy, deserving; fitting
dilatar to dilate, expand; to spread (fame, etc.)
dilema *m.* dilemma

diluvio flood, deluge; overflow; a lot, lots
dinero money; **poner el —** to provide or furnish the money
diócesis *f.* diocese
Dios *m.* God; **¡—!** for Heaven's sake! goodness! **¡— mío!** my God! goodness me! oh my!; **— Nuestro Señor** God, our Lord; **por — vivo** by the living God
dirección direction; instruction; command
directo direct; straight
dirigir to direct, send; to lead; **—se a** to turn to, go to
disciplina discipline
disculpa apology; excuse
discurrir to discourse, ramble
discusión discussion; argument
discutir to discuss, argue about
disfraz *m.* disguise
disfrazar (de) to disguise (as)
disfrutar de (con) to enjoy; to have the use of
disipar to dissipate, disperse
disparate *m.* blunder, mistake; nonsense, absurdity
dispensa dispensation
dispersar to disperse
disponer to dispose, arrange; to resolve; to command
dispuesto *p.p. of* **disponer** disposed; ready
disputa dispute
distancia distance
distinguir to distinguish
distinto distinct; different
distraído inattentive; absent-minded
diverso diverse, different
divertido amusing, funny
divertir (ie, i) to divert; to distract; **—se** to amuse oneself; to have a good time
dividir to divide
divinidad divinity; **— de ocasión** a divinity of sorts; **la Divinidad** the Deity
divino divine
doblemente doubly; deceitfully
doce twelve
doctrina doctrine; teaching
dolido hurt, grieved; complaining
dolor *m.* grief; pain
dolorido disconsolate, hurt
doloroso painful; pitiful
dominación domination, authority; rule; command
dominador *m.* ruler; dominator
dominar to dominate; to subdue, repress
dominico Dominican
dominio dominion; domain
doncella maiden; virgin
donde where, in which, the place where
¿dónde? where?
doña *Spanish title used before Christian names of married women or widows*
dormir (ue, u) to sleep; **— al sol** to sleep in the sun; **—se** to fall asleep
dos two; **los —** both
dualidad duality
duda doubt; **sin —** undoubtedly
dudar to doubt
dudoso doubtful, dubious
dulce sweet, mild, gentle, pleasant
dulzura sweetness, meekness, kindliness
dúo duo, duet
duque *m.* duke

durante during, for
dureza hardness, harshness
duro hard, firm; unjust, unkind, cruel; unbearable

e *used before words beginning with* **i-** *or* **hi-** *not followed by* **e** and
ea hey!
ebullición boiling; ebullition
eclesiástico ecclesiastic; ecclesiastical
echar to throw, toss, throw out, dismiss, cast, hurl; **— a perder** to spoil, ruin; **— abajo** to overthrow, throw down; to tear down; **— de ver** to notice, observe; **— en (la) cara** to throw in one's face; **— una mirada a** to take a look at, glance at; **—se a** + *inf.* to begin to + *inf.*
edad age
edición edition; **primera —** spitting image
edificio building, edifice
educar to educate, enlighten
efecto effect; **en —** exactly; in fact; actually; as a matter of fact
efectuar to effect, carry out, do, make
eje *m.* axle
ejemplar exemplary
ejemplo example; **por —** for example
ejercicio exercise; practice; ministry
ejército army
elección election; choice
elegir (i) to choose, elect, name, nominate
elemental elementary, elemental
elocuente eloquent
eludir to elude; to evade, avoid
emanar to emanate, issue
embargo: sin — nevertheless, however, notwithstanding
embriagarse to get drunk, intoxicated
embriaguez drunkenness
emerger to emerge
Eminencia Eminence *title of cardinals*
emisario emissary
empeñarse en to engage in; to insist on
emperador *m.* emperor
empezar (ie) to begin
emplear to employ; to use
empujar to push, shove, press
en in, into, on, at
encadenado chained, shackled
encalado whitewashed
encarecer(se) to extol; to recommend
encargar to entrust, place in charge; **—se de** to take (be in) charge of
encargo commission, charge, request; job
encarnizadamente cruelly, fiercely, bitterly
encerrar (ie) to lock or shut up; **—se** to live in seclusion
encima (de) above, on top (of); **por — de** over, above; regardless of
encino evergreen oak
encomendar (ie) to entrust, commend, commit
encomendero holder of an **encomienda** *an estate or land in America with inhabiting Indians which was*

granted to Spanish colonists
encontrar (ue) to find, meet; **—se** to be; **—se con** to be confronted with
encuadernado bound (book)
endurecido hard; obdurate, stubborn
enemigo enemy
energía energy
enérgico energetic, lively
enfadarse to become angry
énfasis *m. or f.* emphasis
enfermedad illness, sickness, disease
enfermo sick, ill; *m.* patient
enfrentar to confront; to face; **—se con** to cope with
engañar to deceive, fool
engaño deceit, fraud, deception
engañoso deceitful
engarce *m.* linking; setting
engendrar to engender, beget
engordar to fatten
enigma *m.* enigma, puzzle, riddle
enjaulado caged; jailed, imprisoned
enjuto lean, skinny; austere
enojo anger
enorme enormous, huge
enredar to entangle, involve; **—se** to get involved
enrojecido reddened; flushed
ensayar to try; to test; to assay
enseñanza teaching; instruction
enseñar to teach, instruct; to show
enseñorear to put in possession; to take possession; to control oneself
entender (ie) to understand
entero entire, complete, whole
entidad value, importance; **Entidad** Entity
entonces then
entrada entrance
entrañas kindness; heart; disposition
entrar (en) to enter
entreabrir to half-open; to set ajar
entregar to give, deliver, hand over; **—se** to devote oneself, dedicate oneself
entretanto meanwhile
entretenimiento amusement, entertainment
enviar to send
envidia envy, jealousy
envidiar to envy
envolverse (en) (ue) to wrap up; to become involved (in)
episcopado episcopate; bishopric
época epoch, age, era, time
equivocación mistake
equivocarse to be mistaken
erasmista *m. or f.* follower of Erasmus (1467–1536) *precursor of the Reformation and one of the greatest scholars and philosophers of the Renaissance*
erguir(se) (ye, i) to stand erect, straighten up; to swell with pride
ermita hermitage
erudito erudite, learned, scholarly
errar to miss; to err; to mistake
escampar to stop, ease up
escandalizado scandalized; angered, irritated
escapar to escape
escena scene; stage; **fuera de —** off stage
escenario *theat.* stage
escenografía scenography, staging
escepticismo skepticism

esclavo slave
escoger to choose, select
escolar *m.* student, pupil
escolástica scholasticism
escolástico scholastic, scholastical
escoltar to escort; to attend
esconder to hide, conceal
escribir to write
escrito *p.p. of* **escribir** written
escuchar to listen (to)
esculpir to sculpture, carve
esencia essence
esencial essential
esforzar (ue) to force; to strengthen; to encourage; to try hard, exert oneself; **— la vista** to look more closely
esfuerzo effort, endeavor
esfumarse to disappear, fade away
espaciado spaced
espacio space
espada sword; **hombre de —** swordsman
espalda back; shoulder; **dar la —** to turn one's back; **de —s** backwards; from behind; **por la —** from behind; behind one's back
España Spain
español Spanish; Spaniard; **a la española** in the Spanish fashion or manner
españolizar to make Spanish or like Spanish
esparcir to scatter, spread, disseminate
especial special
especialidad specialty; subject (of study)
especialista *m. or f.* specialist
especialmente especially
especie *f.* kind, sort
espectáculo spectacle, show, pageant
espera wait; **en — de** while waiting for
esperanza hope
esperar to hope; to wait (for); to expect
espiga spike
espina thorn
espíritu *m.* spirit; soul, mind
espiritual spiritual
esposa wife
esposo husband
espuela spur
establecer to establish
estado state; condition
estallar to burst, explode; to break forth
estar to be; **— en** to understand; **— en sí** to have control of oneself; to be in one's right mind; **— fuera de sí** to be beside oneself; **— por** to be in favor of; **— por ver** to remain to be seen; **—se** to remain
estatua statue
estilo style
estimar to estimate; to esteem, respect; to judge
estímulo stimulus; encouragement
estómago stomach; **tener buen —** to be thick-skinned
estrado drawing room
estraza rag
estrella star
estremecerse to shake, shiver, shudder
estremecimiento trembling, shaking; shudder
estricto strict, severe
estropear to damage, spoil, ruin

estructura structure
estudiante *m. or f.* student, pupil
estudiar to study
estudio study
estupidez stupidity
eterno eternal, everlasting
Europa Europe
europeo European
Eva Eve
evangelización evangelization
evidente evident
evitar to avoid
evocar to call out, evoke
evocativo evocative
exactamente exactly
exagerado exaggerated
exaltado exalted; hot-headed
examen *m.* examination; inspection; search
examinar to examine, investigate
exasperar to exasperate
excesivo excessive
exceso excess
excitación excitement
excitar to excite
exclamar to exclaim
excomulgar to excommunicate; *coll.* to flay, treat harshly
excomunión excommunication
excusar to excuse; to avoid, prevent
exhibir to exhibit
existencia existence
existir to exist
éxodo exodus
expectante expectant
expectativa expectation, expectancy, on the lookout
experiencia experience
experimentado experienced
experimento experiment, test, trial
experto expert
explicable explicable, explainable
explicar to explain
exposición exposition, exhibition
expresar to express
expresión expression; statement
expresivo expressive
expulsar to expel, drive out
éxtasis *m.* ecstasy
extender (ie) to extend, stretch out
exteriormente externally, outwardly
extinguir to extinguish, wipe out; **—se** to become extinct, extinguished
extrañar to surprise; to find strange
extrañeza strangeness; wonder
extraño strange, peculiar
extraordinario extraordinary
extraterreno extramundane, out of this world
Extremadura *region of Spain located in the southwest near the Portuguese border*
extremo extreme; ultimate; end; tip; **de un — a otro** from one end to the other

fábrica factory; building; pile; mill
fábula fable
facción faction; *pl.* features (face)
falda skirt; slope, incline
faldón *m.* flap; tail; long flowing skirt
falibilidad fallibility
falible fallible

falsedad falsehood, lie; deceit
falso false; counterfeit
faltar to lack; to need; to be lacking, missing; **— por ver** to remain to be seen
fama fame, reputation
familia family
familiar familiar; *m.* member of the family; household servant; acquaintance; *eccl.* servant of a bishop
fanatismo fanaticism
fantasía fantasy, fancy, imagination
farsa farce; absurdity
fascinación fascination, enchantment
fascinador *m.* fascinator, charmer
fastidioso annoying; boring
fatalidad fatality; fate; misfortune
fatigado tired
favor *m.* favor; help; **— de** please; **hacer (el) — de** please; **por —** please
fe *f.* faith; **a —** in truth; **a — mía** upon my faith; **por mi —** upon my faith
fecha date
felicidad happiness
feliz happy
feo ugly
fértil fertile; plentiful
fervientemente fervently
fiebre *f.* fever
fiel faithful; loyal; *m.* inspector
fiera wild animal
fiesta celebration, festivity
figura figure; face
figurado figurative (language, style)
figurar to figure; **—se** to imagine, fancy; to seem
fijar to fix, fasten; to establish; to set (a date)
fin *m.* end; purpose; **a — de** + *inf.* in order to + *inf.*; **al —** finally; in short; **a —es de** towards, at the end of; **en —** finally; **poner — a** to put an end to, stop; **por —** finally, at last; **sin —** endless; numberless
final final, ultimate; *m.* end; conclusion
fincar to reside, rest, be found
fino fine; courteous, polite; shrewd
firme firm, stable, solid; hard
firmeza firmness
físico physical; *m.* physician
flamante brand-new; spick-and-span; flaming
flamenco Flemish; proud
Flandes Flanders *now Belgium and Holland*
flecha arrow
flor *f.* flower
florecer to bloom; flower; to flourish, thrive
flúido fluid; fluent; flowing
fondo rear, back; background
forma form
formar to form, shape, fashion
fortalecer to fortify, strengthen
fortaleza fortitude, strength; stronghold, fortress
forzar (ue) to force, compel; to break in
fraguar to forge; to plan, plot, scheme
fraile *m.* friar, monk
frailecillo little monk, friar
francés *adj.* French; *m.* Frenchman

Francia France
franciscano Franciscan
franco frank, open; free, clear
franquear to exempt; to grant; to open, clear the way
franqueza frankness
frase *f.* sentence; phrase
fraternidad fraternity; brotherhood
fraude *m.* fraud
frecuencia frequency; **con —** frequently
frenéticamente frantically; madly
freno check; **sin —** without restraint
frente *f.* forehead; face; *m.* front; **al —** in front; **al — de** in charge of; **de —** forward; **en —** in front, opposite; against, opposed to; **— a** in front of; **— a —** face to face; **hacer — a** to face
frialdad coldness, unconcern
frío cold; **hacer —** to be cold (weather)
fruto fruit, *i.e.*, *fig.* any product of man's intellect or labor; benefit; profit
fuego fire
fuera (de) outside (of); besides, in addition to
fuerte strong
fuerza force, strength; **a — de** by dint of, because of; **a (por) la —** by force; **en — de** on account of
fuga flight; escape
función function; duty; position
funcionar to function
funcionario civil servant; public official
fundamento foundation; basis; reason, fundamental principle
fundar to found; to build; to establish
furia fury, rage
furioso furious
fusión fusion; union

galimatías *m.* gibberish, rigmarole
gallardía gracefulness; bravery; nobility
gana desire; **tener —s (de)** to want, wish (to)
ganancia gain, profit; advantage
ganar to gain, win; to earn
gastar to spend; to waste
generalizar to generalize; **—se** to spread; to become general, popular
gente *f.* people
gentil genteel; elegant; graceful; *n.m.* pagan, heathen
gentílico heathenish
gesto gesture; look, grimace
gloria glory
glorioso glorious
gobierno government
golpe *m.* blow; stroke; hit; knock; **de —** suddenly; all at once
golpear to strike, hit; to knock
gotear to drip, dribble
gozar de (en) to enjoy
gozo joy, rejoicing
gracia grace; wit, humor; **tener —** to be funny; *pl.* thanks; **dar (las) —s** to thank
gracioso graceful; witty; funny
grado step; grade; degree
graduado graduated
gradualmente gradually
gran *used for* **grande** *before a sing. n.*

grande large, great, tall; **en —** on a big scale; in a big way; **muy más —** very much larger
grave grave, serious; difficult
gremio guild; corporation; trade union
griego Greek
gritar to shout
grito shout, cry; **a —s** loudly, at the top of one's voice
grueso thick
grupo group
Guadalquivir *m. river in Andalusia, navigable as far as Seville*
guadalupano Guadalupan; believer in the Virgin of Guadalupe; **la Guadalupana** the Virgin of Guadalupe
guardar to guard; to keep, preserve; to protect; **Dios me guarde** God save (protect) me; **— silencio** to keep still
guerra war
guerrero warrior, soldier, military man; warlike
guía *m.* guide
guisa manner, way; **a (en) — de** like, in the manner of
gustar to please, be pleasing, like
gusto pleasure; liking; **dar —** to please, gratify
gustoso agreeable; willing; glad

haber to have *used to form the perfect tenses*
hábil capable; skillful
habilidad ability, skill, talent
habitable inhabitable, habitable
habitación room
habitante *m. or f.* inhabitant
habitar to inhabit, live in; to occupy
hábito *eccl.* habit, dress of ecclesiastics
hablar to speak
hacer to make, do, cause; **— autos sacramentales** to perform allegorical or religious plays; **— bien** to do right; **— caso de** to pay attention to; **— daño** to hurt; **— falta** to lack (be lacking, missing); **— frente a** to face; **— función de** to function or serve as, substitute for; **— mal** to do wrong, act wrongly; **— memoria** to remember; **hace mucho tiempo** a long time ago; **— pedazos** to pull (tear) to pieces; **— presa** to seize; to hold tight; **— un papel** to play a role; **— una pregunta** to ask a question; **—se** to become; **—se a un lado** to move, stand aside; **—se cargo de** to take charge of; **poco ha que** a short time ago that (since)
hacia towards, in the direction of; **— abajo** downward; **— arriba** upward
hacienda farm; property; possessions; fortune
halagüeño attractive, charming; flattering
hallar to find; **—se** to find oneself; to be
hambre *f., but* **el** hunger; **tener —** to be hungry
hambriento hungry, starved
harto sufficient, enough; full; **estar — de** to be enough; to be fed up with

hasta until, as far as, up to; even; **— aquí** so far; up to here; thus far
hay *impersonal form of* **haber** there is, there are; **había, hubo** there was, there were; **habrá** there will be; **habría** there would be; **— que** it is necessary to; **¿Qué —?** What's the matter?
haz *m.* beam (of rays)
he *adv.* here is, here are; behold
hecho *p.p. of* **hacer** made, done, become, turned into; *m.* deed, fact, event
hemisferio hemisphere
heredar to inherit
heredero heir, inheritor
herejía heresy
herida wound
herir (ie, i) to wound
hermana sister
hermano brother; *pl.* brothers; brothers and sisters
hermoso beautiful; fine
héroe *m.* hero
heroico heroic
heroísmo heroism
herrería blacksmith's shop
heterodoxo heterodox
hidra poisonous serpent
hija daughter; *fig.* result
hijo son; *pl.* sons; sons and daughters; **Hijo Jesús** Son of God
hijodalgo nobleman
himno hymn
hipnotizar to hypnotize
hipo desire, longing; **tener — de (por)** to crave
hipocresía hypocrisy
historia story; history
historiador *m. or f.* historian
historicista historical; of historicity
histórico historical
hoja leaf
hojear to glance at (a book, etc.); to turn the leaves of
¡hola! hey! hello!
holandés Dutch
holgar (ue) to take pleasure or satisfaction
hombre *m.* man
hombro shoulder
homenaje *m.* homage (respect); **rendir — a** to swear allegiance to
hondo deep; low; depth; bottom
honrar to honor; to do honor
hora hour; time; **a toda —** at every hour; **es — de** it's time for (to); **hace un cuarto de —** a quarter-hour ago; **—s muertas** long hours of inactivity, hours on end
hospitalidad hospitality
hostia *eccl.* wafer; Host
hostil hostile
hoy today
huerto orchard, fruit garden
hueso bone
huir to flee
humanidad humanity; mankind
humano human; **ser —** human being
humildad humility; meekness
humilde humble, meek
humor *m.* humor; **estar de buen (mal) —** to be in a good (bad) humor (disposition)
humorismo humor
hundir to submerge, sink; to destroy
hurtar to steal, filch

idéntico identical
identificar to identify
idioma *m.* language
idiota *m. or f.* idiot
idólatra idolatrous; *m. or f.* idolater
idolatrar to idolize, worship, adore
idolatría idolatry; idolization
idolátrico idolatrous
ídolo idol
iglesia church
ignaro ignorant
ignorancia ignorance
ignorante ignorant
ignorar to ignore, be ignorant of; not to know
igual equal, the same; the same way; **(me) es —** it's all the same (to me); **por —** equally; evenly
igualar (a) to equal; to be equal (to); to make equal, equalize
igualdad equality
igualmente equally; likewise
iluminar to illumine, illuminate, light
ilusión illusion
ilustrar to illustrate; to make famous or illustrious
ilustrísimo very or most illustrious *title given to a bishop*
imagen *f.* image
imaginar(se) to imagine; to think
imaginativo imaginative, fanciful
imborrable ineradicable
imitar to imitate
impaciencia impatience
impedir (i) to prevent, hinder
impenitente impenitent; stubborn
imperar to command; to reign, prevail
imperativo imperative; domineering; *gram.* imperative; command
imperfecto imperfect, defective; *gram.* imperfect tense
imperio empire
imperioso overbearing
impertinencia impertinence, folly, nonsense
impiedad impiety; pitilessness
impío impious, irreligious, godless
implorar to implore, entreat, beg
imponer to impose; to command
importar to matter, be important
imposibilidad impossibility
impostora impostress
impostura imposture
impresionar to impress; to affect, influence
imprimir to impart; to print, stamp, imprint
impulso impulse; push
incapaz incapable, unable
incendiar to set on fire
incendio fire, conflagration; consuming passion
incidente *m.* incident
incienso incense
inclinación inclination; bow
inclinar to incline, bend, turn; **—se** to bow
incluir to include; to inclose
incluso *adv.* besides, including, even
incomodar to inconvenience; to bother
inconciliable irreconcilable
incontable countless, uncountable
incontenible irrepressible
inconveniente inconvenient; unsuitable; *m.* obstacle, difficulty
incorporar to raise or to make sit up; to embody; **—se** to sit up;

to join
increíble incredible, unbelievable
inculcar to inculcate; **—se** to be obstinate
incurable incurable; hopeless
indeciso hesitant; undecided
indefinido indefinite, vague
indescifrable indecipherable
indianizarse to act (become) like an Indian
Indias Occidentales, las West Indies
indicar to indicate
indicativo *gram.* indicative mood
índice *m.* index; forefinger
indígena indigenous; *m. or f.* native
indigno unworthy; low, contemptible
indio Indian
indudable indubitable, certain
inercia inertia
inestabilidad instability
infeliz unhappy; *m.* wretch, poor soul
infición infection; poison
inficionante infectious
infiel unfaithful; *m. or f.* infidel
infierno hell
infinito infinite
influencia influence
influir to influence; **— en** to have influence on, affect; to contribute to
informar to inform
informes *m. pl.* information
infortunio misfortune; ill luck; misery
Inglaterra England
inhumano inhuman, cruel
iniciativa initiative
inmediato immediate
inmovilidad immovability, immobility
inmovilizado immobilized, immovable
innoble ignoble
innominado nameless
inocente innocent
inquietante disquieting, disturbing
inquirir (ie, i) to inquire (into), investigate
Inquisición Inquisition
inquisidor *m.* inquisitor; inquirer
inscribir to inscribe; to record
insensato insensate, stupid; mad
insistir (en) to insist (on); to persist (in)
insobornable not to be bribed
insolente insolent, sullen
insomnio insomnia, sleeplessness
insondable unfathomable
inspirador inspiring; *m.* inspirer
inspirar to inspire
instalar to install; **—se** to settle
instante *m.* instant, moment
instinto instinct
instrucción instruction, teaching; *pl.* orders, instructions, directions
instruir to instruct; to teach
instrumento instrument
inteligencia intellect, mind, intelligence, understanding
intención intention; purpose
intensidad intensity; concentration
intentar to try, attempt
interceder to intercede
interés *m.* interest

interrogante interrogating
interrogar to interrogate, question
interrogatorio interrogation
interrumpir to interrupt
intitular to entitle, give a title to
intranquilo uneasy, restless
intriga intrigue
intrigado intrigued; interested
introducir to introduce; to insert, put in
inundar to inundate, flood
inútil useless; needless
invadir to invade
inventar to invent
inverso inverse; opposite; **a (por) la inversa** on the contrary; in reverse
invitar to invite
ir to go; — + *pres. p.* to be (gradually) + *pres. p.*; **—se** to go away; **vamos** let's go! come on! why! well!; **¡vaya!** well!
irguiéndose *pres. p. of* **erguirse**
ironía irony
irónico ironical; sarcastic
irracional irrational; absurd
irreal unreal
irredimible irredeemable
irreverencia irreverence
irritar to irritate, annoy, vex
isla island
Italia Italy
italiano Italian; **a la italiana** in the Italian fashion or manner
izquierdo left; **a la izquierda** to the left; **izquierda** (stage) left

jacal *m.* hut, shack
jactancia boasting; boastfulness
jactancioso boastful, bragging
jactarse to boast, brag
jamás never
jardín *m.* garden
jardinería gardening
jardinero gardener
jefe *m.* leader, chief; head
jerarca *m. eccl.* hierarch
jerarquía hierarchy
jeronimiano Hieronymite (pertaing to Saint Jerome)
jerónimo Hieronymite
Jerusalén Jerusalem
jornada one-day march; journey; trip
joven young; fragile; *m. or f.* young man, woman; youth
judío Jew; Jewish
juego play; sport; game; **hacer el —** to play the game; **— limpio** fair play; **— sucio** foul play; **mismo —** as before, ditto
juez *m.* judge
jugar (ue) to play; to take an active part; **— sucio** to play unfairly
juicio judgment; decision; **el — final** the Last Judgment
junta meeting, conference; council
juntar to join, connect, unite
junto together; **— a** near, beside, next to, by
juramento oath; curse
jurar to swear, vow
justamente just; justly; exactly
justicia justice; *m.* judge, justice in the courts
justificar to justify
justo just; pious; correct; exact
juzgar to judge; **a — por** judging by (from)

labio lip
labor *f.* labor, work
lacayo lackey
lacerante lacerating; cutting
lado side; direction; **al — de** near at hand, just by, to one side; **del — de** on the side of; **hacerse a un —** to step aside, withdraw; **por otro —** on the other hand
lago lake
laguna lagoon; gap, lapse
laico lay, laic
lamentar to lament, mourn; to regret, be sorry for
lanza lance, pike
lanzar to launch
largamente completely; for a long time
largo long
larguísimo very long
lascivo lascivious; playful
látigo whip
latín *m.* Latin
latino *adj.* Latin
latir to beat, throb
latitud latitude, width
lavar to wash
leal loyal
lectura reading
leer to read
lego layman
legua league (measure)
leguleyo petty lawyer
lejano distant, far off
lejos far, far away, far off; **a lo —** at a distance, far away; **de —** from afar, from a distance
lengua tongue; language; linguist; **mala —** gossip, evil tongue; **nunca llegaré a —** I'll never become a linguist
lenguaje *m.* language
lentitud slowness
lento slow
letanía litany
letra letter (of alphabet)
levadura leaven, leavening; consistency
levantar to raise; to set up, establish; **—se** to get up, rise up, rebel
levedad lightness; trivialness, levity
levemente gently, lightly
ley *f.* law
leyenda legend
librar to free; to save, spare
libre free; clear, open
librito little book
libro book
licor *m.* liquor
lidiador *m.* combatant; fighter
ligar to tie, bind, fasten; to join, link
ligero light; slight; delicate
limitar to limit, restrict
límite *m.* limit; border; boundary
limosnas alms
limpiar to clean; to purify
limpieza cleanness, neatness; integrity; honesty
limpio clean; tidy; pure; in a clean (fair) manner; **jugar —** to play fair
liquidar to liquidate; to settle
listo ready, prepared; apt, clever
loado praised; **Dios sea —** God be praised
lobo wolf
loco mad, insane, crazy; **estar — de atar** to be stark raving mad; to be fit to be tied; **— de mí**

what a fool (lunatic); **un — de la cabeza** simpleton, dunce, fool
lograr to succeed (in), achieve, obtain
losa slab, flagstone
lúcido lucid, clear; brilliant
lucrero profiteer
lucha struggle; dispute, argument
luchar to fight, struggle
luego then, soon; **desde —** of course
lugar *m.* place; **de — en —** from place to place; **en — de** in lieu of, instead of; **en primer —** in the first place; first; **tener —** to take place, occur
luminoso luminous
luna moon; **— llena** full moon
luterano Lutheran
luz *f.* light; **a toda —, a todas luces** everywhere; anyway; obviously; clearly; **dar a —** to have a child; to give birth to; **luces** enlightenment, learning, knowledge

llaga ulcer, sore; torment; wound
llama flame, blaze; violent passion
llamada call; knock
llamado call; summons; so-called; by the name of
llamar to call; to name; to knock; **—se** to be named, called
llegada arrival
llegar to arrive; to succeed in; **— a ser** to become, get to be
llenar to fill; **— de** to fill with
lleno full, filled; **— de** filled with, full of
llevar to take; to carry; to wear; to lead; **— a cabo** to carry out; **—se** to take away, carry away with one
llover (ue) to rain
lluvia rain

macizo solid, massive; flower bed
macular to stain
magnánimo magnanimous
majestad majesty; Majesty (title)
majestuoso majestic
mal *used for* **malo** *before a m. sing. n.*; badly, poorly, wrong; *m.* illness, disease; evil, harm
maldición curse; damnation
maléfico malevolent; harmful
malhadado unfortunate
malicia malice, evil
maligno malignant, perverse
malo bad; poor; evil; sick; wrong
maltratar to maltreat, abuse; to harm
manantial flowing, running; *m.* source; spring
manar to pour forth; to run, abound
mancillar to spot, stain, soil, blemish
manco one-handed; armless; maimed
mancha spot, stain, blot
mandamiento order, command
mandar to order, command; to send
mando command, order
manera manner; way; **a — de** as a kind of; **a la — de** in the fashion (style) of; **de — que** so that; **de ninguna —** in no way; by no means, not at all; **de otra —**

in another way; **de todas —s** anyway
manga sleeve
manifestar (ie) to state, declare; to manifest, reveal
maniobra handiwork; operation; procedure; maneuver
mano *f.* hand; **más a —** close at hand
mansedumbre meekness; tameness
manso gentle, mild, meek
mantener to maintain, keep (up); to provide for, support
mañana morning; tomorrow; **de la —** in the morning
mapa *m.* map
maquinalmente mechanically; unconsciously
maravilla marvel, wonder
maravilloso wonderful, marvelous
marchar to march; **—se** to march or go away
marchitarse to wilt, wither; to languish
marrón brown; **vestido de —** dressed in brown
martillo hammer
más more; most; **a — de** in addition to; besides being; **de —** too much; addition to; **lo —** at the most; **— de (que)** more than; **nada —** only; **por — que** however much, no matter how
máscara mask
masticado masticated, chewed; meditated about
matacaballo: a — at breakneck speed
matanza slaughter, massacre
matar to kill
materia matter, material; subject; **en — de** in the matter of, as regards
matizar to blend; to match, shade (in color)
matrimonio matrimony, marriage
mayor greater, greatest; more; main, chief; **la — parte** the majority
medalla medal
medianero mediating, interceding; intermediate
medicina medicine
medio half; middle; medium; **a media voz** in a whisper; **en — de** in the midst of, in the middle of; **por — de** by means of; **—s** means
medir (i) to measure; to weigh, judge, value
meditar to meditate, contemplate
meditativo pensive, meditative
médium *m. or f.* spiritualistic medium
medrar to grow, prosper; **medrados estaremos** now look what will happen
mejor better, best; **a lo —** perhaps; when least expected; **— dicho** rather
mejorar to improve, make better
memoria memory; **hacer —** to remember
mencionar to mention
meneo shaking; wiggling
menester *m.* need; occupation, employment; **ser —** to be necessary
menor lesser, least; younger, youngest; minor; smaller, smallest
menos less, least; except; **a lo —**

at least; **a — que** unless; **al —** at least; **cuando —** at least; **echar de —** to miss; **lo de —** the least; **lo — posible** the least possible; **— de (que)** less than; **ni —** even less; **poco más o —** more or less, about; **por lo —** at least
mensaje *m.* message; errand
mensajero messenger
mente *f.* mind; understanding; sense
mentir (ie, i) to lie; to deceive
mentiroso lying; liar
menudo: a — often; frequently
mercader *m.* merchant
merced *f.* favor, grace, mercy; **a —** voluntarily; **— a** thanks to
mercenario mercenary (soldier)
merecer to deserve, merit; to be worth
meridional southern, southerly
mes *m.* month
mesa table; **— de trabajo** work-table
meseta plateau
mesticillo little half-breed
mestizo half-breed
mesurado slow; moderate
meta goal, aim; finish line
metáfora metaphor
meter to put in; to involve; **—se en** to meddle in (with); **— mano** to meddle, intervene
mexicano Mexican
mezcla mixture
mezclar to mix, mingle; to intermarry
mezquita mosque
miedo fear; **tener —** to be afraid
miembro member
mientras (que) while, as long as; **— más** the more; **— tanto** in the meantime
migaja small fragment, bit
mil thousand
milagro miracle
milagroso miraculous
militar military; *m.* military man, soldier
millares *m.* thousands; a great number
millón *m.* million
mímica pantomime, sign language
mímico mimic
mina mine
minero miner
ministro cabinet minister
minucioso minutely precise, thorough
minúsculo small, tiny
minuta minute (as of a meeting); first draft; rough draft; memorandum
mirada look, gaze, glance; **echar una — a** to take a look at, glance at
mirar to look (at)
miscigeneración miscegenation, mixture of races
misericordia mercy, compassion
misión mission
misiva missive
mismo same; very; own; self; **ahora —** right now; **él —** he himself; **mí —** myself; **sí —** himself
misterio mystery; **— sacramental** mystery or religious play
misterioso mysterious
misticismo mysticism
mitad half; middle; center

modificar to modify
modo way, manner; **a (al) — de** like, in the fashion of; **de cualquier —** at any rate; **de — que** so then, so that; **de ningún —** by no means; **de otro —** in another way; otherwise; **de tal —** in such a way; **de todos —s** at any rate; *gram.* mood or mode
molimiento grinding, pounding; *fig.* fatigue, weariness
molino mill; *fig.* noisy place; **parece un —** *the Bishop implies that people enter the* **Obispado** *as if they were entering their own homes and making themselves comfortable or at ease*
momento moment
monarca *m.* monarch
monasterio monastery
monástico monastic, monastical
moneda coin; money
monja nun
monje *m.* monk
monstruo monster
monta: no tener — to be of little importance; to amount to nothing
montaña mountain
moreno brown; brunette
morir(se) (ue, u) to die, pass away
morisco Moorish; Arabic
moro Moorish; Moor
mortal fatal, mortal
mortero mortar (trench) gun
mortífero deadly
mosca fly
mostrar (ue) to show, reveal
motilón *m., coll.* lay brother
motivo motive, reason
mover(se) (ue) to move
movimiento movement, motion
mucho much, great, a lot; *pl.* many; **tener en —** to hold in high esteem
mudar(se) to change
mudo dumb, silent, mute
muerte *f.* death; **a —** to death; **de —** fatally; at the point of death; **morir de mala —** to die a bad (unfair) death (because of hard labor, like working in the mines, etc.); **toda la —** beyond the grave, after death
muestra sample; sign; indication; **dar — de** to show sign (or signs) of
mujer *f.* woman; wife
mundo world; **el señor del —** the man of experience; **todo el —** everybody
Murcia *province in southeastern Spain*
murmurar to murmur, mutter, gossip
muro wall
museo museum
música music
musitar to mumble, whisper
mutis *m., theat.* exit
muy very

nacer to be born
nacimiento birth
nada nothing; **no poder —** to be unable to do anything; **— más** only; *adv.* not at all
nadie no one, nobody
nahoa *m.* Náhuatl *Mexican Indian language*
náhuatl *m.* Náhuatl *language of the Aztecs*
naranjo orange tree

natural *m. or f.* native
naturaleza nature
navío ship, vessel
necedad stupidity, foolishness, nonsense
necesario necessary
necesidad necessity, need
necesitar (de) to need
necio foolish, stupid; *m.* fool, bullheaded person
negar (ie) to deny; to refuse, forbid
negativo negative
negocio business, affair
negrísimo very black
negro black
nervioso nervous
ni nor, not even; **— . . . —** neither . . . nor; **— menos** even less; **— que** not even if; **— siquiera** not even; **— un** not a single
nimbado encircled with a halo
ningún *used for* **ninguno** *before a m. sing. n.*
ninguno no; (not) any; no one; **de ninguna manera** under no circumstances
niño child; **desde —** from childhood
nivel *m.* level
noche *f.* night; **de —** at night; **de la —** in the evening; **esta —** tonight; **buenas —s** good evening, good night
nombrar to name; to appoint
nombre *m.* name; noun; **en — de** on behalf of
nonato still nonexistent; unborn
norte *m.* north
nota note; **tomar — de** to take note of
notar to note; to observe, notice
noticia piece of news; *pl.* news, information
nubarrón *m.* large black cloud, storm cloud
nube *f.* cloud; crowd, multitude
nublado cloudy, overcast; **hace —** it's cloudy
nubloso cloudy; gloomy
núcleo nucleus; center
nudo naked; knot; tie, union; **cortar el — gordiano** to cut the Gordian knot *pertaining to Gordius, king of Phrygia, who tied a knot which could not be untied, but which was ultimately cut by Alexander the Great; hence, "cutting the Gordian knot" has come to mean the solution of a complicated problem by unusual and bold measures*
Nueva España, (la) New Spain
nuevo new; **de —** again
número number
numeroso numerous
nunca never; **como —** as never before

o or
obedecer to obey; to be due, arise (from)
obis: por — (*Lat.*) as a sinner
obispado bishopric; bishop's palace, headquarters
oblispalía bishop's palace; bishopric
obispo bishop
objetividad objectivity
objeto object, purpose
obligar to obligate; to oblige; to

force
obra work; deed
obrar to work; to construct, build
observador observant; observer
observante *m.* observant, monk of certain branches of the Order of Saint Francis
observar to observe
obsidiana obsidian (volcanic glass)
obstáculo obstacle
obstinado obstinate, stubborn
ocasión occasion
ocio leisure; idleness
octubre October
ocultar to hide, conceal
oculto hidden, concealed
ocupado occupied; busy
ocupar to occupy; **—se** to pay attention to; to busy oneself by
ocurrir to occur, happen
ofensa offense
oficina office
oficio work, occupation; office
ofrecer to offer; to propose; **¿qué se te ofrece?** what can I do for you?
ofrecimiento offer; offering
oído *p.p. of* **oir;** *m.* sense of hearing; ear; **al —** in the ear; whispering; confidentially; **llegar a los —s** to come to one's knowledge or attention; **prestar el —** to lend an ear; to listen
oir to hear; to listen
ojalá would to God, God grant, I wish or hope
ojeada glance, glimpse
ojo eye
olor *m.* smell, odor
olvidar(se) (de) to forget
olvido forgetfulness; oversight
omiso neglectful, careless
omnipotencia omnipotence
operar to operate, act, work
opinar to judge, be of the opinion
oponer(se) to oppose; to hinder, resist; to object to
oportunidad opportunity
oprimir to oppress; to press, push
optar (por) to take possession (of); to choose, select
opuesto *p.p. of* **oponer** opposed; opposite
oración prayer; sentence; **ponerse en —** to begin to pray
orar to pray
oratorio oratory, small chapel
orden *f.* order, command; religious order; *m.* arrangement, order, class group
ordenamiento law, edict, ordinance
ordenar to order, command
oreja ear
orfebre *m.* silversmith; goldsmith
organizar to organize, set up; to arrange
orgía orgy
orgullo pride; haughtiness
orgulloso haughty, proud, conceited
originalidad originality
orilla border; edge; shore; bank of a river
ornado ornate
ornamento ornament; decoration; adornment
oro gold
osar to dare; to venture
oscuridad obscurity, darkness, gloominess
oscuro obscure; dark, gloomy

Oslo *capital of Norway*
otomí *Mexican Indian tribe, language*
otorgar to grant
otro other, another

paciencia patience
paciente patient
pacifista pacifistic
padecer to suffer; to feel deeply
padre *m.* father; *eccl.* priest; *pl.* parents; **"y a su —"** a person can't please everyone and his own father *the ending of a fable by La Fontaine, the French fabulist*
paganidad paganism
paganismo paganism
pagano pagan
pagar to pay; to pay for
país *m.* country
paisaje *m.* landscape
pala shovel
palabra word
palaciego palace, court
palacio palace
Palatinado: Príncipe del — Prince of the Palatinate *a district west of the Rhine, formerly a state of the old German Empire*
Palencia *capital of the province of the same name in northwestern Spain*
palma palm
palpar to feel (of); to touch; to see as self-evident
pan *m.* bread; **a — y agua** on bread and water
Papa *m., eccl.* Pope
papel *m.* paper; role, part; **— secante** blotter, blotting paper
par equal; *m.* pair, couple; **sin —** incomparable
para to, for, in order to; **— con** towards, to, for; **— mí** in my opinion
paraíso paradise
paraje *m.* place, spot
pardo brown; drab, dark
parecer to seem, appear; **—se a** to resemble; **según parece** so it seems
parecido like, similar; **—s** alike
pared *f.* wall
parientes *m.* relatives
parte *f.* part; side; *m.* communication, report; **a otra —** somewhere else; **de — de** on behalf of; **en alguna —** somewhere; **en ninguna —** nowhere; **en otra —** somewhere else; **la mayor —** the majority; **por su —** for or on his part; **por todas —s** everywhere
partido: tomar — to take a stand; to take sides; to make up one's mind
partir to split, divide; to depart, leave; **a — de** starting from
pasado last, past
pasaje *m.* passageway
pasar to pass; to go by; to change; to happen, occur; to spend (time); **— por** to undergo; **¿Qué (te) pasa?** What's the matter (with you)?
pasear to take a walk, stroll, ride
paseo walk, stroll, ride; **dar un —** to take a walk, stroll, ride
pasión passion; emotion
pasividad passivity passiveness
paso passage; way; step; **¡—!** make way!; **abrir —** to make way; **al — del Arcángel** at the

pace of the Archangel, *i.e. walking as leisurely and slowly as if she were sure of being a celestial being;* **a su —** at her own pace; **a un —** a step away; **dar un —** to take a step; **de —** in passing; **— a —** step by step
pasta: de buena — of good disposition; kind
pastilla cake
pasto pasture
pastor *m.* shepherd
paternidad paternity; **Su — ** Your Fathership *title of respect given to religious men*
patio patio, courtyard
patrono patron; protector
pausa pause; delay
pausadamente slowly, deliberately
paz *f.* peace; **dejar en —** to leave alone
pecado sin; **sin — concebida** conceived without sin *referring to the Virgin Mary*
pecar to sin
pecho chest; heart
pedazo piece, fragment, bit; **hacer —s** to break (tear) into pieces
pedernal *m.* flint
pedir (i) to ask for, beg, request
pedregal *m.* stony ground; lava field
pedrerías precious stones, jewelry
pegar to strike, hit, beat, slap
pelear to fight; to quarrel; to struggle
peligro danger
peligrosamente perilously, dangerously
peligroso dangerous
pelvis *f.* pelvis, pelvic cavity
pena pain (mental); grief; penalty; punishment; **valer la — de** + *inf.* to be worth + *pres. p.*
penetrante penetrating
penetrar to penetrate; to fathom; **— en (entre)** to penetrate into; **—se** to grasp
penitencia penitence, penance
pensamiento thought
pensar (ie) to think; to consider; to intend; **— en** to think about, of; **— que sí** to think so
pensativo pensive, thoughtful
penumbra semidarkness
peor worse, worst
pequeño small, little
percibir to perceive
perder (ie) to lose; to ruin; **— el tiempo** to waste time; **—se** to get lost
perdición perdition; loss
perdón *m.* pardon, forgiveness; mercy; excuse me
perdonar to pardon, forgive
perecer to perish; to suffer
pereza laziness
perfección perfection
perfil *m.* profile
perfumado odoriferous; perfumed
periclitar to be in jeopardy; to be unsound or shaky
período period, age, era
perjuicio harm; prejudice; **en — de** to the detriment of
permanecer to remain
permiso permission
permitir to permit, allow
pernicioso pernicious
pero but
perpetuamente perpetually

perplejo uncertain, perplexed
perseguir (i) to pursue; to chase; to persecute
persona person; **en —** in person
personaje *m.* personage, character
persuadir to persuade
persuasivamente persuasively, convincingly
pertenecer to belong
pesado heavy, massive
pesar to weigh; to have influence; *m.* sorrow; regret; **a — de** in spite of; **a su —** in spite of himself, against his wishes; **a — suyo** in spite of himself; **pese a** in spite of
peso weight; importance; judgment, good sense
picar to chop, cut up, break to pieces; **— cantera** to break stones in the quarry
pico peak; pick, pickaxe
pie *m.* foot; **a —** on foot; **en (de) —** standing
piedad piety; pity; mercy
piedra stone, rock
piel *f.* skin
pieza piece; play, drama; room
pillaje *m.* pillage, plunder
pincelada brush stroke; touch
pintar to paint, picture; to describe, portray
pintura painting; picture; **— al óleo** oil painting
pío pious; mild; merciful
pirámide *f.* pyramid
pisar to step on, trample
pisotear to trample, tramp on
placer to please, gratify; *m.* pleasure
plaga plague; calamity
planeta *m.* planet
plantear to plan; outline; to establish; to state, pose
plata silver
plática talk, chat, conversation
platicar to chat, talk
plegar (ie) to fold
plegaria prayer, supplication
pluma feather
pluscuamperfecto *gram.* pluperfect tense
pobre poor
pobrecito poor, miserable
pobreza poverty
poco a little, few, short, not very; **dentro de —** in a little while; **— a —** little by little
poder (ue) to be able to; can; to have power; **no — más** to stand any more; **no — nada** to be unable to do anything; **puede ser** it may be; perhaps; *m.* power
poderío power; might; wealth, riches
poderoso powerful
podredumbre decay; corruption
poeta *m.* poet
poético poetic, poetical
política politics; policy; **hacer —** to play politics
políticamente politically
político political; *m.* politician
polo pole
polvo dust
pomposidad pomposity
poner to put, place; to make, cause to become; **— a prueba** to put to the test; to try; **— coto a** to check, put a stop to; **— en movimiento** to set in motion; **— en ridículo** to ridicule, make ri-

diculous; **— fin a** to put an end to, stop; **— un término a** to put an end to, stop; **—se** to become; to put on; **—se a** to begin to; **—se de acuerdo** to agree; **—se en oración** to begin to pray; **—se en pie** to stand up
poniente *m.* west
por by, because of, for, through, along, on behalf of, by means of, on account of, for the sake of; **— eso** for that reason; **¡— la mía!** on my word!; **— si** in case, by chance
porque because
¿por qué? why?
portar to carry; to bear; to wear
portero porter, gatekeeper
portón *m.* inner front door
posada inn, tavern; **— de una noche** one-night stand
posar to repose; to rest; to pose
poseer to possess, own, hold
posesión possession, ownership
posibilidad possibility
posible possible; **en lo —** as far as possible
postura posture; stand, attitude
pozo well
práctica practice; skill
practicar to practice
práctico practical; skillful
precioso precious; pretty, charming
precipitación precipitation; haste
precipitadamente hastily
precipitar(se) to precipitate, rush, hasten
precisar to need; to state, specify; to determine
preciso precise, exact; necessary; indispensable; **ser —** to be necessary
predicación preaching, sermon
predicar to preach
predilecto favorite, preferred
preferir (ie, i) to prefer
pregunta question; **hacer una —** to ask a question
preguntar to ask
preluterano pre-Lutheran
prematuro premature; unripe
premura haste; urgency
prender to seize, grasp; to take root; **— fuego a** to set on fire
preñado pregnant
preocupación preoccupation, worry
preocupar to preoccupy, concern; **—se con (por)** to be preoccupied with; **—se (de)** to worry (about)
preparar to prepare; to fix; **—se a** to prepare to, get ready to
preparativo preparation
presencia presence
presentar to present; to display; to appear
presente present; current; **tener —** to bear in mind; **los —s** those present
preservar to preserve, keep, save
preso *p.p. of* **prender** seized; **hacer presa** to seize, hold tight; *m.* prisoner; victim
prestar to lend, loan; **— el oído** to lend an ear; to listen
presuroso quick, hasty, speedy
pretender to pretend (to); to claim; to try to
pretérito *gram.* preterit, past tense
prever to foresee, anticipate

previamente previously
previo previous, foregoing
primavera spring; season of beauty, health, and vigor
primer *used for* **primero** *before a m. sing. n.*
primero first
principal principal, main, chief; foremost
príncipe *m.* prince
principiar to begin
principio beginning; principle; **a —s de** around the beginning of; **al —** at first; **dar — a** to begin, start; **de —s** early, at the beginning
prior *m., eccl.* prior, superior
prisa haste; **a (de) —** quickly; **darse —** to hurry, hasten
prisión seizure, capture; prison; *pl.* chains, shackles
prisionero prisoner, captive
privar to deprive; to prohibit, forbid
privilegio privilege; grant
probablemente probably
probar (ue) to prove; to try, test; to sample, taste
problema *m.* problem
problemático problematic
procedente proper
proceder to proceed, go on
procesión procession; parade
proceso process; course; progress
procurar to try; to secure, obtain
prodigio prodigy; marvel
prodigioso prodigious, marvelous; excellent
producir to produce, yield, bear
producto product; produce; **dar —** to produce
profanidad profanity; profaneness; indecency
profano profane, worldly
profecía prophecy
profesar to profess
profesional professional
profundidad depth; profundity; excellence
profundo deep; low; profound; profundity, depth; underworld
progresar to progress
progresivo progressive
prohibir to prohibit, prevent, forbid
prólogo prologue
prolongar(se) to prolong; to protract, extend, continue
promesa promise
prometer to promise
promiscuar to be promiscuous
promiscuidad promiscuity; promiscuous intercourse
pronombre *m., gram.* pronoun
pronto soon, quick, quickly; **de —** suddenly; **lo más — posible** as quickly as possible
pronunciar to pronounce
propicio propitious
propio proper; own; typical; **—s** own people
proponer to propose, suggest
proporción proportion (size, dimensions)
proposición proposition; proposal
prosperar to prosper, thrive
prosternarse to prostrate oneself
proteger to protect
protestantismo Protestantism
protestar to protest
provenir (de) to arise (from); to originate (in); to be due (to)

provisto de provided with
provocar to provoke; to excite, incite, anger; to promote
próximo next; near, neighboring
proyectar to design; to project; to plan
proyecto project
prueba proof; test, trial; **poner a —** to put to the test; to try
público public; audience
púdico modest, shy
pueblo town; people
pueril childish, puerile
puerta door
puerto port; **Y yo a vos en Puerto de Plata** And I thought you were going to **Puerto de Plata** *on the Hispaniola Island, now Santo Domingo*
pues since, as, well, then, because; **— bien** well then
puesto *p.p. of* **poner** put, placed; **— que** since, although, as long as; *m.* position, job
pulgar *m.* thumb
pulque *m.* *Mexican alcoholic beverage made from the* **maguey** *cactus plant*
punta point, sharp end; tip
punto point; period; instant, moment; **cuatro —s cardinales** four cardinal points of the compass: north, south, east, and west; **estar a — de** to be on the verge of
puño fist; **contenerse a dos —s** to control oneself to the utmost (by strenuous effort)
purgar to purge
purgatorio purgatory
purificar to purify
puro pure; honest; absolute, mere, sheer
púrpura purple; dignity of a king or cardinal; *eccl.* cardinal; clergy

que than; which; that; who, whom; **el —** he who, the one that; **lo —** what, that which; **lo — es** as for; **ni —** not even if; **— yo no** because I won't
¿qué? what? how?; **¡— . . . !** what a . . .!; **¿y —?** so what?
quebrar (ie) to break; to crush
quedar(se) to remain; to stay, be left; to be
quehacer *m.* work, task, chore
quejarse to complain, grumble; to regret, lament
quemar to burn; to scorch
querella quarrel
querer to want, wish; to love; **como quiera que sea** in any case; **— decir** to mean
¡quiá! come now! no, indeed!
quicio: sacar de — to exasperate; to put out of order
quien who, whom, he who, whoever, the one who; **a —** whom; **cada —** everybody; *pl.* those who
¿quién? who? whom?
quieto quiet, still, calm, silent
quintaesencia quintessence
quitar(se) to take off, take away, remove
quizá(s) perhaps

rabia rage, fury
raciocinio reasoning
raíz *f.* root

rana frog
rango rank, class
rapacidad rapacity
rapidez rapidity
rápido rapid, quick, swift
rapiña robbery, thievery
rato short time, while
rayo ray, beam, flash, thunderbolt
raza race
razón *f.* reason; **con —** with good reason, rightly so; **en —** sensibly, logically; **no tener —** to be wrong; **— de más** all the more reason; **— de ser** = ***raison d'être*** (*Fr.*) reason for being (living); **tener —** to be right
reacción reaction
real royal; *m.* residence; **sentar los —es** to encamp, settle or establish oneself
realidad reality; **en —** truly, really, in fact
realizar to carry out; to perform, accomplish
realmente really
reaparecer to reappear
rebanada slice
rebaño flock, herd; congregation
rebelarse to revolt, rebel, resist
recado message
recaída relapse
recibir to receive, welcome
recién recently, lately; **— llegado (venido)** newcomer; newly arrived
reciente recent
recio strong, hard; harsh; loud
reclamar to claim, demand
recobrar to recover
recoger to gather, collect; to pick up
recoleto *eccl.* recollect; self-communing; pertaining to retreat (monastery)
recomendar (ie) to recommend
reconocer to recognize; to inspect, examine closely
recordar (ue) to remember, recall
recorrer to go over, pass over
rectificar to rectify, make right, correct
recto straight, erect; just, fair
recuerdo memory, remembrance
rechazar to reject, turn down; to contradict
rechazo rejection
redención redemption
redimir to redeem
referir (ie, i) to refer; to tell, narrate; **—se a** to refer to
reflejo reflection, glare
reflexión reflection
reflexionar to think, reflect
reflexivo reflective, reflexive
reforma reform; **Reforma** Reformation
reformado reformed
refrigerio refreshment
refugio refuge
regañar to scold; to quarrel, grumble
regio royal; regal
regla rule, regulation; policy
regocijo rejoicing, gladness
regresar to return, come back
regreso return; **de—** back
rehacer to make (do) over
rehusar to refuse, decline, reject
reina queen
reinar to reign; to prevail
reino kingdom
reir(se) to laugh; **— de** to laugh

at, make fun of
reiterar to reiterate, repeat
relación relation
relacionar to relate; to report, narrate; to get acquainted
relámpago lightning; flash of lightning
religioso religious; monk (*or* nun)
remediar to remedy; to support, help, assist
remedio remedy; help; **no tener —** can't be helped, prevented; **sin —** inevitable; hopeless
remiso lazy, careless
remoto remote, far off; unlikely
rencor *m.* rancor, anger
rendir (i) to subdue; to yield; to render
renuente unwilling, reluctant
renunciar to renounce; to resign; **— a** to give up
reñir (i) to quarrel, fight; to scold
reorganizar to reorganize
reparar to repair, mend; **— en** to notice, pay attention to
repelente repellent
repentinamente suddenly; unexpectedly
repetir (i) to repeat
replegarse (ie) to fall back, retreat
réplica reply, answer
replicar to reply, answer
reposo rest
representación representation; performance; production
representar to represent
reprimir to repress, check, curb
reprochar to reproach, rebuke
reproche *m.* reproach
repugnancia repugnance, aversion; reluctance
repugnar to conflict with; to contradict; to object to
requerir (ie, i) to summon, notify; to require, need
residencia residence
resignación resignation; submission
resistencia resistance; strength
resistir to resist; **—se a** to object to
resolver (ue) to resolve; to decide on; to solve
resonar (ue) to resound, echo; to clatter
respecto a, de with regard to, concerning, regarding
respetar to respect
respeto respect
respetuoso respectful; dutiful
respirar to breathe
responder to respond, answer; **— de** to answer for (a thing); to be responsible for
responsabilidad responsibility
responsable responsible
respuesta answer, response
restallar to crack; to snap
restauración restoration
restituir to restore, return, give back
resuelto *p.p. of* **resolver** solved; determined
resultado result
resultar to result, turn out
resurrección resurrection
retablo series of historical pictures; *eccl.* retable, altarpiece
retener to retain, keep (back)
retirar(se) to withdraw, retreat, retire

reto challenge; dare; threat
retorno return, coming back
retrato portrait, picture
retroceder to draw back, move backward
retroceso retrocession; going back
reunión union; meeting; gathering
reunir(se) to reunite; to join; to gather together
revelar to reveal
reventar (ie) to burst, blow up
reverencia reverence
reverenciar to revere, worship
reverendo reverend
revestir (i) to put on; to disguise
revivir to revive; to live again
revolucionario revolutionary
rey *m.* king
ribera bank, shore
rico rich
ridículo ridiculous, absurd; **poner en —** to make ridiculous
rienda rein; **dar — suelta a** to give free rein to
riesgo risk; danger, hazard
rigor *m.* rigor; sternness; **en —** strictly speaking, in fact
rincón *m.* corner
río river
riqueza wealth, riches
risa laugh; laughter
rítmicamente rhythmically
ritmo rhythm
rito ceremony
roca rock
Rodas Rhodes
rodear (de) to surround, encircle, encompass (by, with)
rodela target; buckler; round shield
rodilla knee; **de —s** kneeling; **ponerse de —s** to kneel (down)
rogar (ue) to ask, implore
rojo red
Roma Rome
romadizo cold; cold in the head
romano Roman
romper to break; to tear
rondar to go around; to gad about at night; to prowl
rondón: de — suddenly, rashly; abruptly
rosa rose
rosal *m.* rosebush or plant
rosario rosary
rostro face
roto *p.p. of* **romper** broken; torn
rudo rude; rough; hard, severe
rueda wheel
ruego request; plea, entreaty; **a — mío** at my request
ruido noise
ruina ruin; overthrow
rumor *m.* noise; rumor; murmur; buzz (of voices)
ruta route; way

saber to know; to know how; **no — bien** not to know exactly; **— de** to have news about; **— de sobra** to know over and above, more than enough
sabido well-informed; **por bien —** it goes without saying
sabiduría wisdom; knowledge
sabio wise, learned; scholar
saborear to taste, savor; to find enjoyment; to find delicious
sacar to draw (out); to pull, take

out; to produce; to bring out; — **de quicio** to exasperate; to put out of order
sacerdote *m.* priest; **Sumo —** high priest
sacramento sacrament; **santísimo —** Holy Sacrament
sacrificador sacrificing; *m. or f.* sacrificer
sacrificar to sacrifice
sacrificio sacrifice
sacrilegio sacrilege
sacrílego sacrilegious
sacro sacred; **el Sacro Imperio Romano** the Holy Roman Empire
sacudida shake, shaking, jolt
sacudir to shake; to jolt
sagrario sanctuary, shrine
sahumar to perfume (with incense or smoke)
sajón *m.* Saxon
Salamanca *province and city in central western Spain*
salida exit; departure; recourse
salir to leave, depart; to go out; to come out
salmodiar to singsong, sing monotonously
salomónico Solomonic (like Solomon the Wise)
saltar to jump, leap
salud *f.* health
saludar to greet; to salute
saludo greeting; bow
salvaje wild; *m.* savage
salvar to save
salvo saved; safe; **a —** out of danger
San Agustín Saint Augustine
sanción sanction
sangre *f.* blood; **hacer —** to bleed; **hacer mala —** to put one in a worse temper; **hacerse mala —** to fret
sangriento bloody; savage
San Jerónimo Saint Jerome
San Pablo Saint Paul
San Pedro Saint Peter
Santa Clara Saint Clare
Santa Constancia Saint Constance
santidad holiness
santiguarse to cross oneself
santo saint; holy
Santo Tribunal de la Fe Holy Office (Inquisition)
sapo toad
saqueador *m.* plunderer, sacker
sarcasmo sarcasm
sarcástico sarcastic
sastre *m.* tailor
satisfacción satisfaction
satisfactorio satisfactory
satisfecho *p.p. of* **satisfacer** satisfied
Saulo Saul
secante *adj.* drying; **papel —** blotter, blotting paper
seco dry; **a secas** merely, simply
secretario secretary; **— privado** private secretary
secreto secret; **en —** in secret, confidentially
secundario secondary
sed *f.* thirst; **tener —** to be thirsty
sede *f.* see; headquarters
seglar *m.* layman
seguida: en — immediately, at once
seguir (i) to continue, keep on; to follow; **seguido de (por)** followed by; **— adelante** to continue,

go on
según according to; depending on; as; **— parece** so it seems
segundo second
seguramente surely, certainly
seguridad security; certainty; safety
seguro sure, certain; secure, safe
seleccionar to select
selva forest
semana week; **una vez por —** once a week
sembrar (ie) to sow, seed; to scatter, spread
semejante like, similar; such (a)
semejanza similarity, resemblance
semilla seed
sempiterno everlasting
sencillez simplicity
sencillo simple, plain
sentar (ie) to seat; to fit; **— los reales** to encamp; to settle or establish oneself; **—se** to sit down
sentido sense; meaning
sentimiento sentiment; feeling; regret
sentir (ie, i) to hear, feel, regret; **—se** to feel
seña sign, mark, indication
señal *f.* sign, mark
señalar to show, indicate, point out; to signal
señor *m.* gentleman, lord, master, sir, Mr.
señora lady, woman, madam, Mrs.
señorío dominion, rule; lordliness; arrogance
seor *m.* *contraction of* **señor**
separar to separate
septentrional northern, northerly
ser to be; **a — cierto** should this fact or event be true; **a no — (por)** if it were not (for); **a no — que** unless; **es decir** that is to say; **no sea que** lest; **o sea** or in other words; that is to say; **puede —** it may be; **sea** so be it; **seas quien fueres** whoever you may be **(fueres** *fut. subj. of* **ser,** *although once frequent, it is now seldom used*); **— de** to belong to; to become of; *m.* (human) being
serenar(se) to become calm, serene; to calm
sereno serene, calm
serio serious, stern
serpiente *f.* serpent, snake
servicio service
servilidad servility; humility
servir (i) to serve; to perform (duties); **— de** to serve as; **no — de nada** to be useless
severidad severity, sternness, strictness
severo severe
sevillano Sevillian; of Seville, Spain
sexo sex
sexto sixth
si if; **por —** in case; by chance
sí yes; itself, himself, each other, one another; **decir que —** to say so; **estar en —** to be in one's right mind; to have control of oneself; **por —** of its own accord; **— mismo** himself; **un — es no es** somewhat, perhaps a little
siembra sowing, seeding
siempre always; **para (por) —** forever
siervo servant; slave; **— de Dios**

servant of God; *coll.* poor devil
siete seven
siglo century
signarse to cross oneself
significación meaning
significado meaning
significar to mean
signo sign; mark
siguiente following
sílaba syllable
silencio silence; **guardar —** to keep still, silent
silencioso silent, quiet
sillón *m.* large chair, armchair; **— de cuero** leather armchair
símbolo symbol
simple simple; silly, foolish
simplificar to simplify
simultáneamente simultaneously
sin without; **— embargo** nevertheless; **— que** without
sinagoga synagogue
sincero sincere
sino but, except
sinónimo synonym
sintáctico *gram.* syntactic, syntactical
siquiera even, at least; **ni —** not even
sirviente *m.* servant
sistema *m.* system
sistemático systematic, systematical
sitio place
situar to place, locate, situate
so under; below (*archaic*)
soberbio proud, haughty, arrogant, presumptuous
sobra surplus; **de —** over and above; more than enough
sobre on; over; about, concerning; **por —** above; besides; **— todo** especially; above all
sobreponerse to control oneself
sobrevenir to happen, take place; to follow
sobrevivir to survive, outlive
sol *m.* sun; **del — poniente** of the setting sun; **dormir al —** to sleep in the sun
soldado soldier
solemne solemn
soler (ue) to be accustomed to
soliviantar to induce, incite, rouse
solo single; alone; **a solas** alone
sólo only
solucionar to solve
sombra shadow; shade
sombrío dark; gloomy, sombre
someter to subject; to submit, subdue
sonar (ue) to sound; to ring
sonreir (i) to smile
sonriente smiling
sonrisa smile
soñar (ue) (con) to dream of (about)
soplo blowing, blast; breath; gust of wind
sorbo swallow, gulp, sip
sorprendente surprising
sorprender to surprise
sorpresa surprise
sospecha suspicion
sospechar to suspect
sostener to support, sustain
sotana cassock
suave soft, smooth; gentle, kind
súbdito subject (to authority); inferior
subir to rise, go up; to lift, take up
súbito sudden, unforeseen; **de —**

suddenly, unexpectedly
subjuntivo *gram.* subjunctive mood
subrayar to underline; to emphasize
subyugador *m.* subjugator
sucedáneo substitute
suceder to happen, come to pass; to come about
sucesión succession
suceso event, happening
sucio dirty, filthy; low, base
suelo floor
suerte *f.* luck; chance; kind, type; **tener —** to be lucky
sufrir to suffer
sugerente suggestive
suma: en — in short, in a word
sumar to sum up, add
sumir to sink; to depress, overwhelm
supercherías fraud, deceit
superfluo superfluous
supersticioso superstitious
suplicar to entreat, implore, beg
suponer to suppose, assume
supremo supreme
supuesto *p.p. of* **suponer** supposed; **por —** of course, naturally; **— que** allowing that, granting that; since
sur *m.* south
surco furrow
sureño southern
suscitar to stir up, raise, start
suspender to suspend, postpone, delay, stop; to hang up; **— el paso** to stop (in one's tracks)
suspirar to sigh
suspiro sigh
sustituir to substitute for, take the place of; to replace
susto fright, fear
sutil subtle
sutileza subtlety; dexterity

Tabasco *state of Mexico on the Gulf of Mexico*
tahona flour mill; bakery
taimado sly, cunning, crafty
tajante cutting, sharp
tal such, such a; as someone; **un —** a certain; one such; **— que** so that; **— vez** perhaps
talante *m.* performance; mien; **estar de buen (mal) —** to be in a good (bad) mood, disposition
tallo stalk, shoot, sprout
también also, too
tampoco neither; not either; **— ahora** not now either
tan so, as; such (a)
tanto so much, as much; *pl.* so many, as many; **en —** in the meantime; **en — que** while; **mientras —** in the meantime; **otro —** as much, as much more; **por lo —** for that reason, therefore; **— que** as much as; **un —** somewhat; rather
tapar to cover (up); to hide
tapiar to wall up; to close up
tarasco Tarascan *Mexican Indian tribe, language*
tardar to be late; **— en** to delay in, take long to
tarde *f.* afternoon; **de (por) la —** in the afternoon; **más —** later; *adv.* late
tarea task
tata *m. dial.* father

taza cup
te *f.* *name of the letter* **t**
teatral theatrical
teatro theatre
tecpaneca *m. or f.* *same as* **tlaltelolca,** *tribes subject to the government of Tenochtitlán*
techo ceiling; roof
tela cloth, fabric
telón *m., theat.* curtain
tema *m.* theme, subject, topic
temblar (ie) to tremble
tembloroso shaking, tremulous
temer to fear, be afraid
temeroso timid, afraid, fearful
temor *m.* fear, dread
temperamento temperament
templado hardened, tempered
templo temple; church
temporal temporary
temprano early
tender (ie) to spread out, stretch out; to extend; to tend; **a medio —** half built
tener to have, hold; to keep; to possess; **aquí tiene usted** here is; **— . . . años** to be . . . years old; **— costumbre de** to be accustomed to; **— cuidado (de)** to be careful (of); **— de** to be; **— en mucho** to hold in high esteem; **— éxito** to be successful; **— gracia** to be funny; **— hambre** to be hungry; **— inconveniente** to object; **— miedo** to be afraid; **— pena** to grieve, worry; **— por** to consider as; **— presente** to bear in mind; **— que** to have to; **— que ver con** to have to do with; **— razón** to be right; **— sed** to be thirsty; **— suerte** to be lucky; **— vergüenza de** to be ashamed of; **no — monta** to be of little importance; to amount to nothing; **no — razón** to be wrong
tenochca *m. or f.* native of the kingdom of Tenochtitlán (*now Mexico City*)
tentación temptation
tentar (ie) to touch, feel (by touch); to tempt
tentativa attempt; first examination
teología theology
teológico theological
teólogo theologian
tepetl *m.* (*in Náhuatl*) hill
Tepeyácatl Tepeyac Hill *near Mexico City where the Virgin appeared to Juan Diego*
tepuzque *m.* (*in Náhuatl*) copper
tercer *used for* **tercero** *before a m. sing. n.*
tercero third
terminar to end, finish; **— de** + *inf.* to have just + *p. p.*
término term; end, limit, boundary; **poner un — a** to put an end to, stop; *theat.* **primer —** foreground; **segundo —** middle distance; **último —** extreme back, rear
ternura tenderness, fondness
terrenal worldly, earthly, mundane
terreno land, ground
territorio territory
tesoro treasure
testamento testament; will
testarudo stubborn, pigheaded
testigo witness

testimoniar to attest, bear witness to
testimonio testimony
texto text; textbook
tezontle *m.* porous volcanic stone, dark red in color
tiempo time; weather; *gram.* tense; **a —** on (in) time; **al mismo —** at the same time; **mucho —** a long time ago; **un —** a while; formerly
tierra land; earth; country
tigre *m.* tiger
tilma cloak fastened at the shoulder by a knot; mantle
timidez timidity
tinglado trick, machination, intrigue
tinta ink
tirano tyrant
tirar to throw; **— de** to pull (on)
titánico titanic
título title
Tlaltelolco *flourishing city near Tenochtitlán*
tlamahuizolli *m.* (*in Náhuatl*) miracle
Tlaxcallan Tlaxcala *state southeast of Mexico City*
tocar to feel; to touch; to ring; to strike; to knock
todavía still, yet
todo all, everything; whole; every; **ante —** first of all; **sobre —** above all, especially; **— el mundo** everyone
todopoderoso all-powerful; **Dios Todopoderoso** Almighty God
Toledo *city of central Spain south of Madrid, noted for its medieval monuments*
tolerancia tolerance
tolerar to tolerate
tomar to take; to get; to seize; **— a cargo** to be responsible (for); to take charge of
tono tone
tontería foolishness, nonsense
tonto fool; silly, foolish; **— de capirote** blockhead, fool, idiot
topo mole; awkward person
toquido knock; sound
toreador *m.* bullfighter
torear to fight bulls in the ring
torero bullfighter
torno turn; **a (en) —** around; **en — de** around; about, regarding
toro bull
tosco rough, coarse, uncouth
totalmente totally, fully
trabajador *m.* worker, workman
trabajo work
traer to bring, bear, carry; to wear
tragar to swallow; to gulp down
tragedia tragedy
traición treason
traicionar to betray
traidor *m.* traitor
traje *m.* suit, dress; **— de viaje** traveling suit
trampa trap; trick; **hacer —s** to trick; to cheat
trance *m.* peril, danger; trance, hypnotic state
tranquilizar to calm, tranquilize
tranquilo tranquil, calm, quiet
tránsito transition; **de —** in transit; temporarily
transparencia transparency
tras (de) behind; after; beyond; besides

trasfondo background
traslúcido translucent
trasminación undermining; permeation; penetration
trasmitir to transmit
trasponer to transpose; to disappear behind; to go around
tratadista *m. or f.* author or writer of treatises
tratado treatise
tratar to treat, deal (with); to try; to manage, handle; **— de** to try to; **—se de** to be a question or matter of
través: a (al) — de through; across
trazar to design, devise; to trace, mark out
trece thirteen
treinta thirty
tregua truce; respite, rest
trémulo tremulous, shaking, quivering
tres three
tribu *f.* tribe
trigo wheat
triunfante triumphant, victorious
triunfar to triumph, win, conquer
triunfo triumph, victory
trocar to confuse, distort, twist
tumulto tumult, uproar; uprising, mob
turbar to disturb, upset
turbio troubled; confused
turno turn

u *used before words beginning with* **o** *or* **ho** or
último last, final; **por —** finally
umbral *m.* threshold; doorsill
un *used for* **uno** *before a m. sing. n.*
único only; unique
uniforme uniform; *m.* uniform; uniformity
unir(se) (a) to unite, join (to)
universidad university
uno one; **uno, una** a, an; **— por —** one by one; **—s** some; **—s cuantos** some few, a few
urgencia urgency
urgente urgent
usanza use; usage, custom
usar to use
uso use; **más de lo que es de —** more than usual
útil useful
utilizar to utilize, use

vacío empty, void
vago vague, hesitating, wavering
valer to be worth, cost; to protect, defend; **más vale (vale más)** it's better; **no poder —** to be helpless; **— la pena** to be worth the effort; **—se de** to make use of, take advantage of; **¡San Francisco nos valga!** May Saint Francis protect (bless) us!; *m.* worth, merit, value
valiente brave
Valladolid *capital of the province of the same name in northwestern Spain, once the capital of Spain and the birthplace of King Philip II*
vanidad vanity; nonsense
vanidoso vain; conceited
vano vain; **en —** in vain, uselessly
varios various, several
varón *m.* man; male

vasco Basque
vascongado Basque
vaso glass
vegetar to vegetate
veintiocho twenty-eight
velar to watch (over), keep vigil; to be awake
vencedor *m.* conqueror, victor
vencer to conquer, win, overcome
vender to sell; to betray
veneno poison
venia pardon, forgiveness; permission, leave
venir to come; to result; to fit; to occur (to one's mind)
ventana window
ventanillo peephole
ver to see, look at; **a —** we shall see, time will tell; **echar de —** to notice; **tener que — con** to have to do with
verano summer
veras: de — really
verbo verb; **el Verbo** *theol.* the Word *second person of Trinity*
verboso verbose, wordy
verdad truth; **es —** it's true; **¿—?** isn't it? doesn't it? isn't it so?
verdadero true, real, authentic
verde green; verdant
verdugo executioner, hangman
verdura greenness; vegetables, greens
vergel *m.* flower and fruit garden
vertiginoso giddy, dizzy
vértigo dizziness, giddiness
vespertino evening; **oración vespertina** vespers
vestíbulo vestibule, hall, lobby
vestir(se) (i) to dress, wear
veta vein, lode (mineral)
vez *f.* time; **alguna —** ever; **a la —** at the same time; **a mi (su) —** on my (his) part; **a veces** at times, occasionally; **cada —** every time; **cada — más** more and more; **cada — que** every time that; **de una —** at once; **de — en cuando** from time to time; **en — de** instead of; **más de una —** more than once; **otra —** again; **por primera —** for the first time; **rara —** seldom; **tal —** perhaps; **una —** once
vía way, road; manner, method
viajar to travel
viaje *m.* trip; **a medio —** half way; **hacer un —** to take a trip
vicario vicar
víctima victim
victoria victory
vida life; **toda la —** all one's life
viejo old
viento wind
vientre *m.* abdomen; womb
vigilia *eccl.* vigils; fasts
vino wine
violación violation
violador *m.* violator
violencia violence
violento violent; impulsive
virgen *f.* virgin
viril virile
virtualmente virtually, practically, almost
virtud virtue; power; courage
viruela smallpox
visión vision; view; **ver visiones** to be seeing things
visita visit, social call; visitor, caller

visitante *m. or f.* visitor, caller
visitar to visit
vista sight; view, vision; **punto de —** point of view
visto *p.p. of* **ver** seen
vivificante life-giving
vivir to live
vivo alive; lively; quickly; clean; pure
vocabulario vocabulary; word list; lexicon
volar (ue) to fly; to flutter; to hover
volcán *m.* volcano
volcánico volcanic
voluntad will; volition; love, fondness; **de buena —** willingly; **de mala —** unwillingly
voluptuoso voluptuous
volver (ue) to return; to turn; to transform (into); to give (change); **— a hacer** to do again; **— la espalda** to turn one's back; **—se** to become, turn; to turn around; **—se loco** to become (go) insane
votar to vow, swear
voto vow
voz *f.* voice; shout; expression, word; **a media —** in a whisper; **dar voces** to shout, cry, scream; **en — alta** aloud, out loud; **en — baja** in a low tone, undertone; **a voces** shouting
Vuecencia *contraction of* **Vuestra Excelencia** Your Excellency
vuelta return; turn, rotation; **dar media —** to turn halfway around; **dar —s** to turn over and over; to keep going over the same subject; **de —** back, returned

xóchitl *f.* (*in Náhuatl*) flower

y and
ya already, now, then, soon; certainly, to be sure; at once; **— lo creo** yes indeed; **— no** no longer; **— que** since; **y —** it's my business and that's that
yendo *pres. p. of* **ir** going
yergue *pres. ind. of* **erguirse**
yermo desert; wilderness; wasteland

zahorí *m.* diviner; keen observer; clairvoyant
zeda *name of the letter* **z**